Édito / Editorial

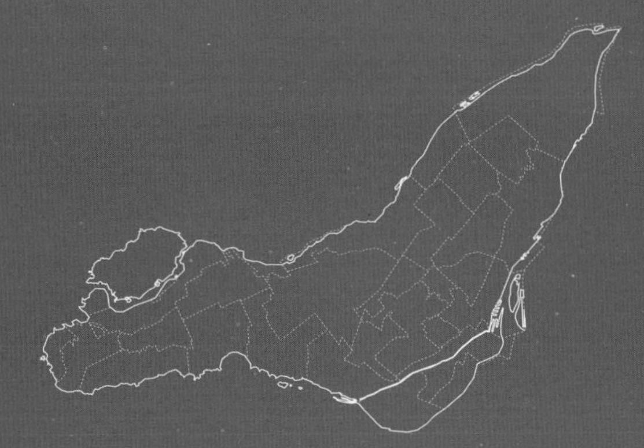

POUR RÉUSSIR SA VILLE ÉTUDIANTE ...

Prendre une grande île sur un fleuve puissant.
Planter de grands arbres et aménager des parcs.
Faire chauffer le soleil en été et souffler la neige en hiver.
Construire de beaux édifices pour transmettre le savoir.
Y enseigner tout ce que les jeunes rêvent d'apprendre.
Donner des cours de qualité, adaptés au marché de l'emploi.
Offrir le choix d'étudier en français ou en anglais.
Favoriser la communication entre les étudiants et les professeurs.
Créer des associations, des centres sportifs et des lieux de culture.
Faire couler la bière dans des lieux festifs.
Eclairer les pistes de danse jusque tard dans la nuit.
Inviter des hommes et des femmes du monde entier.
Demander leur de cuisinier leurs plats et de jouer leur musique.

Voilà en quelques lignes ce que nous vous proposons de venir découvrir, à Montréal, et dans les pages de ce guide !

FOR THE BEST PLACE TO BE A STUDENT...

Take a big island in the middle of a powerful river.
Plant big trees and arrange the parks.
Heat the sun in summer and blow snow in winter.
Build beautiful buildings to transmit knowledge.
Teach in them everything students dream of knowing.
Give high calibre courses, adapted to the job
Offer the choice of studying in English or in
Favour communication between professors a
Create associations, sport centres and cultura
Let the beer flow in the party hotspots.
Light the dance floors until the wee hours.
Invite women and men from around the worl
Ask them to cook the food and play the music

Here, in a few lines, is what we invite you to discover in Montreal, in the pages of this guide!

ENGAGEMENTS DU PETIT FUTÉ

• LES GUIDES DU PETIT FUTÉ SONT DES GUIDES
DE CONSOMMATION PRATIQUE.
• LES ADRESSES SÉLECTIONNÉES ENGLOBENT LES ENDROITS QUI SONT DE NOTORIÉTÉ PUBLIQUE, MAIS AUSSI CEUX QUI GAGNENT À ÊTRE CONNUS ET RECONNUS.
• RIEN NE SERT DE COURIR, IL FAUT PENSER FUTÉ. TOUS LES EFFORTS DÉPLOYÉS POUR CE GUIDE SONT LE FRUIT D'UN TRAVAIL D'ÉQUIPE VISANT À VOUS EN FAIRE PROFITER... ALORS N'HÉSITEZ PAS À EN USER ET EN ABUSER!
• LE PETIT FUTÉ N'EST PAS UN MÉDIA DE MASSE, MAIS IL EST INDÉPENDANT.
• LES GUIDES DU PETIT FUTÉ SONT FINANCÉS PAR LES VENTES, ET EN PARTIE PAR LA PUBLICITÉ.
• EN AUCUN CAS LE CONTENU PUBLICITAIRE NE DÉPASSERA 30% DU GUIDE, ET IL N'AURA PAS D'INFLUENCE SUR LES ARTICLES DES ANNONCEURS.
• LE PETIT FUTÉ N'EST PAS UN DISTRIBUTEUR D'ÉTOILES, NI UN DONNEUR DE NOTES, C'EST L'EXPÉRIENCE VÉCUE QUE NOUS CHERCHONS À RETRANSMETTRE.
• L'HONNÊTETÉ GUIDE LA DESCRIPTION DES AUTEURS, POUR UN CONTENU FIABLE ET AUTHENTIQUE, ET DES ADRESSES SÉLECTIONNÉES AU SERVICE DES LECTEURS.
• L'UTILISATION DU FÉMININ DANS CE GUIDE EST À TITRE GÉNÉRIQUE, ET CECI POUR ALLÉGER LE TEXTE.
• VOTRE AVIS, VOS BONS PLANS NOUS INTÉRESSENT... ALORS CONTACTEZ-NOUS!

THE PETIT FUTÉ PROMISES

• PETIT FUTÉ GUIDES ARE PRACTICAL CONSUMERS GUIDES.
• THE ADRESSES LISTED REPRESENT THE BEST KNOWN LOCATIONS, AS WELL AS SOME LESSER KNOWN PLACES THAT ARE WORTHY OF BEING NOTED.
• "FUTÉ" MEANS CRAFTY AND CLEVER. A TEAM OF DEDICATED, CLEVER PROFESSIONALS HAVE PUT THIS GUIDE TOGETHER FOR YOU BENEFIT, SO USE IT CREATIVELY TO EXPAND YOUR COMFORT ZONE AND DISCOVER NEW PLEASURES!
• PETIT FUTÉ IS AN INDEPENDENT PRESS FINANCED BY SALES AND, LESS SO, BY ADS. WE ARE NOT MASS MEDIA.
• ADS NEVER ACCOUNT FOR MORE THAN 30% OF THE GUIDE CONTENT AND IN NO WAY INFLUENCE THE CONTENT PUBLISHED.
• PETIT FUTÉ DOES NOT USE A STAR SYSTEM OR GIVE STANDARD NOTES. OUR GOAL IS TO TRANSMIT OUR EXPERIENCES ON THE ROAD.
• OUR WRITERS ARE GUIDES BY TRUTHFULNESS: THEIR NUMBER ONE GOAL IS TO PUT FORWARD SUGGESTIONS THAT ARE RELIABLE AND AUTHENTIC, AS WELL AS RELEVANT TO OUR READERSHIP'S LIFESTYLE.
• FOR SIMPLICITY, THE GUIDE EMPLOYS THE FEMININE AS THE GENERIC GENDER.
• YOUR SUGGESTIONS AND COMMENTS ARE IMPORTANT TO US,
SO PLEASE KEEP US INFORMED!

MONTRÉAL ÉTUDIANT

LE PETIT FUTÉ « Montréal Etudiant 2007 » est édité par : Les Éditions Néopol Inc, 43 Av. Joyce, Montréal, QC, H2V 1S7. Tél : 514-279-3015. Fax : 514-279-1143. www.petitfute.ca. Courriel : redaction@petitfute.ca. Administrateurs : Gérard Brodin, Jonathan Chodjaï, Michaël Galvez. Directeur Général : Jonathan Chodjaï. Directeur Associé : Michaël Galvez. Directeur de Collection : Jonathan Chodjaï. Responsable d'édition : Maeva Vilain. Auteure : Maeva Vilain. Traduction : Alexis Diamond. Correcteur : Yves Chartier Régie Publicitaire : Jonathan Chodjaï, Maeva Vilain. Mise en page et responsable du studio : Johan Batier. Photographies : Fotolia.com et Ariel Tarr. Webmaster : Benji Wahiche. Impression : Imprimerie transcontinental Québec. Distribution : Socadis-Flammarion, ISBN : 2-922450-37-6. Dépôt légal – Bibliothèque nationale du Québec, 2006. Dépôt légal – Bibliothèque Nationale du Canada, 2006.
LE PETIT FUTÉ a été fondé il y a 28 ans par Dominique Auzias. Les guides sont édités par les Nouvelles Éditions de l'Université, Paris, France. Jean-Paul Labourdette en est le gérant, et Gérard Brodin le directeur administratif et financier.

MONTREAL STUDENT

LE PETIT FUTÉ "Montréal student 2007" is published by : Éditions Néopol Inc., 43 Joyce Ave., Montreal, QC, H2V 1S7. Tel: (514) 279-3015. Fax: (514) 279-1143. www.petitfute.ca Email: redaction@petitfute.ca Administration: Gérard Brodin, Jonathan Chodjaï, Michaël Galvez. Editor in Chief: Jonathan Chodjaï. Editor: Maeva Vilain. Original Text (French): Maeva Vilain. Translation: Alexis Diamond. Publicity: Jonathan Chodjaï, Maeva Vilain. Layout: Johan Batier. Photo Credits: fotolia.com and Ariel Tarr. Printing: Imprimerie transcontinental Québec. ISBN: 2-922450-37-6. Legal Deposit: Bibliothèque nationale du Québec, 2006. Legal Deposit: National Library of Canada, 2006.
LE PETIT FUTÉ was founded by Dominique Auzias 28 years ago. The guides are published by Nouvelles Éditions de l'Université (Paris, France). We would like to thank Jean-Paul Labourdette (Director) and Gérard Brodin (chief administrative and financial officer) of LE PETIT FUTÉ for their trust and support.

REMERCIEMENTS

Un grand merci à l'équipe de Néopol, et notamment à Jonathan qui m'ont renouvelé leur confiance pour la réalisation de ce guide. Mes amies, notamment Claire et Aurélie, Renaud, et ma famille m'ont apporté un soutien indispensable dans cette aventure. Les filles de la promenade Fleury, leur gaieté, leur savoir et leur accueil m'ont beaucoup apporté. La participation de spécialistes dont Julie Medam, Dina Merhbi, l'OCCOPPQ, le CABM a considérablement enrichi ces pages.

ACKNOWLEDGEMENTS

A huge thank-you to the Néopol team, especially Jonathan, who renewed their trust in me for the realisation of this guide. My friends, particularly Claire and Aurélie, Renaud, and my family who gave me the support that made this adventure possible. The girls of Fleury, for the good mood, knowledge and welcome that sustained me. The participation of specialists as Julie Medam, Dina Merhbi, the OCCOPPQ and the CABM greatly enriched these pages.

9

APPRENDRE / LEARNING
Cegeps et universités / CEGEPs and Universities
Écoles de commerce / Business Schools
Écoles de génie / Engineering Schools
Enseignement à distance / Long Distance Learning
École d'administration publique / Public Administration Schools
Les arts de la scène / Stage Arts
Informatique / Computer Science
Tourisme et hotellerie / Tourism and Hostelry
Beauté et bien être / Beauty and Well-Being
Formations diverses / Miscellaneous Instruction

37

SE RESTAURER / EATING OUT
Quartier Latin / Latin Quarter
Quartier des universités anglophones / Near the English speaking Universities
Quartier de l'Université de Montréal / Near the University of Montreal
Ailleurs dans Montréal / Elsewhere in Montreal

47

MAGASINER / SHOPPING
Vêtements / Clothes
Épiceries / Groceries

51

SORTIR / GOING OUT
Bars / Bars
Bars boîtes / Clubs
Discothèques / Discos

63

S'ÉVADER / GETTING AWAY
Excursions courtes / Short Trips
Vacances / Vacations
Liste des plages / List of Beaches
Voyager différemment / A Different Kind of Travel

73

SE DIVERTIR / ENTERTAINMENT
Jeux d'aventure / Adventure Games
Culture sur le campus / Campus Culture
Musées / Museums

Sommaire
Table of Contents

83

GARDER LA FORME / STAYING IN SHAPE
Prendre soin de son alimentation / Good Nutrition
Gérer son stress / Stress Management
Faire du sport / Sports
Santé : s'assurer / Health Insurance
Se faire soigner / Curing

97

SE LOGER / ACCOMMODATION
Logement provisoire / Temporary Accommodation
Résidences universitaires / University Residences
Résidences privées / Private Residences
Logement hors campus / Off-Campus Housing
Budget / Finance

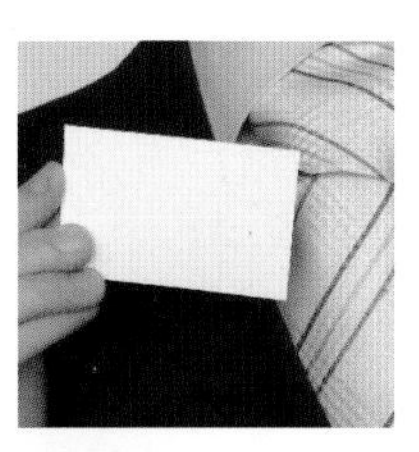

103

S'ORIENTER ET TRAVAILLER /
PICKING A DIRECTION AND WORK
S'orienter / Career Planning
Trouver un emploi / Finding a Job

107

S'ENGAGER /
GETTING INVOLVED: VOLUNTEERING
Pourquoi s'engager / Why You Should Volunteer
Lieux d'informations pour l'engagement local /
Where to Get Information about Volunteering
Changeons le monde / Changing the World

113 **Annexes** / Appended

CONSEILS AUX ÉTUDIANTS ÉTRANGERS /
ADVICE FOR FOREIGN STUDENTS
Les démarches administratives /
Administrative Procedures
Le système scolaire québécois /
The Quebec Educational System
MONTRÉAL GRATUIT /
MONTREAL FOR FREE

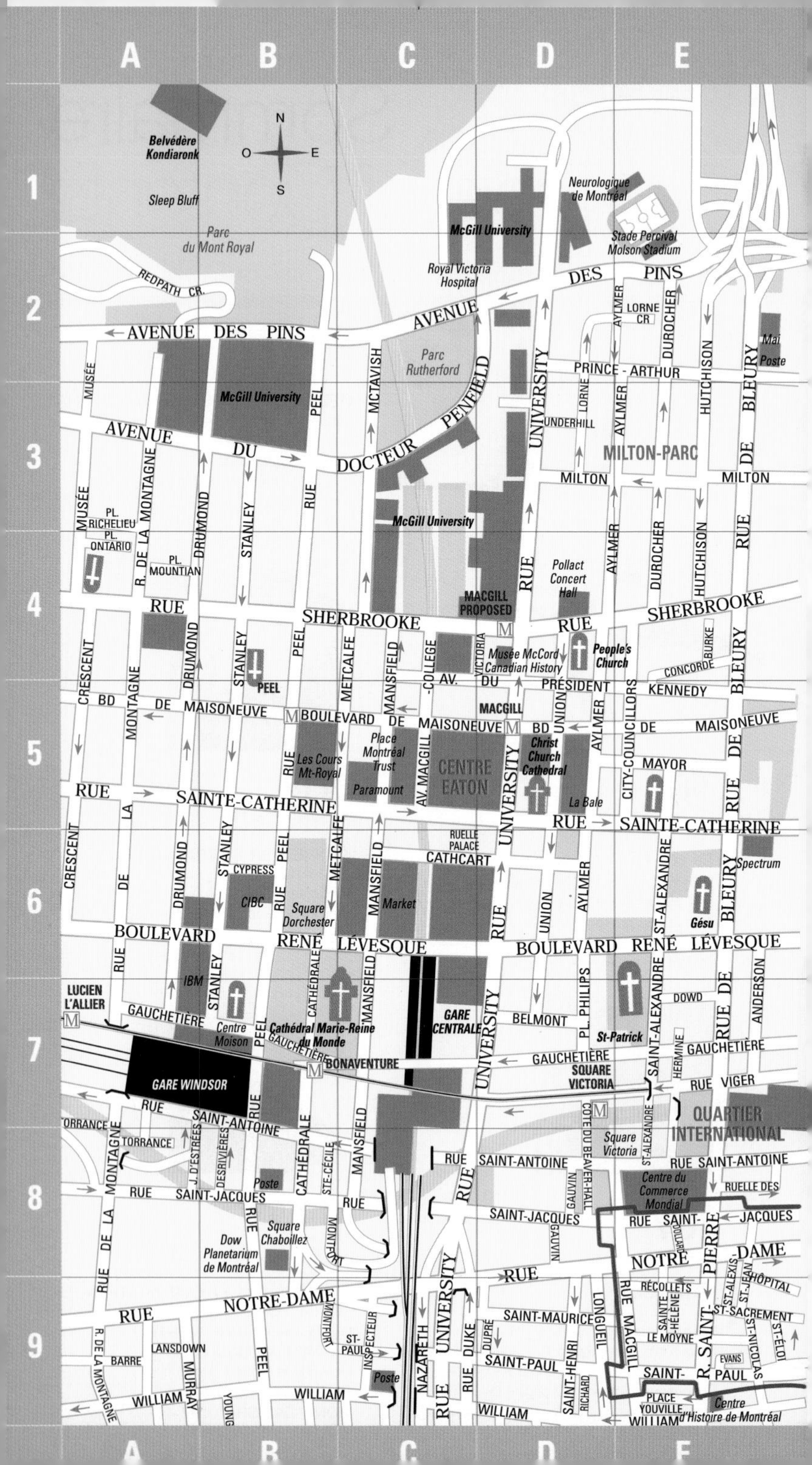

A B C D E
1 2 3 4 5 6 7 8 9
Belvédère Kondiaronk
Sleep Bluff
Parc du Mont Royal
Redpath Cr.
Avenue des Pins
McGill University
Royal Victoria Hospital
Neurologique de Montréal
Stade Percival Molson Stadium
Parc Rutherford
Avenue du Docteur Penfield
Milton-Parc
Pollact Concert Hall
MacGill Proposed
Rue Sherbrooke
Musée McCord Canadian History
People's Church
Av. du Président Kennedy
Peel
Boulevard de Maisonneuve
MacGill
Les Cours Mt-Royal
Place Montréal Trust
Paramount
Centre Eaton
Christ Church Cathedral
La Baie
Rue Sainte-Catherine
Ruelle Palace
Cathcart
Cypress
CIBC
Square Dorchester
Market
Spectrum
Gésu
Boulevard René Lévesque
IBM
Lucien L'Allier
Centre Moison
Cathédral Marie-Reine du Monde
Gare Centrale
Belmont
St-Patrick
Gare Windsor
Bonaventure
Gauchetière
Square Victoria
Rue Viger
Quartier International
Rue Saint-Antoine
Torrance
Poste
Centre du Commerce Mondial
Rue Saint-Jacques
Square Chaboillez
Dow Planetarium de Montréal
Notre-Dame
Saint-Maurice
Saint-Paul
Place Youville
Centre d'Histoire de Montréal
William

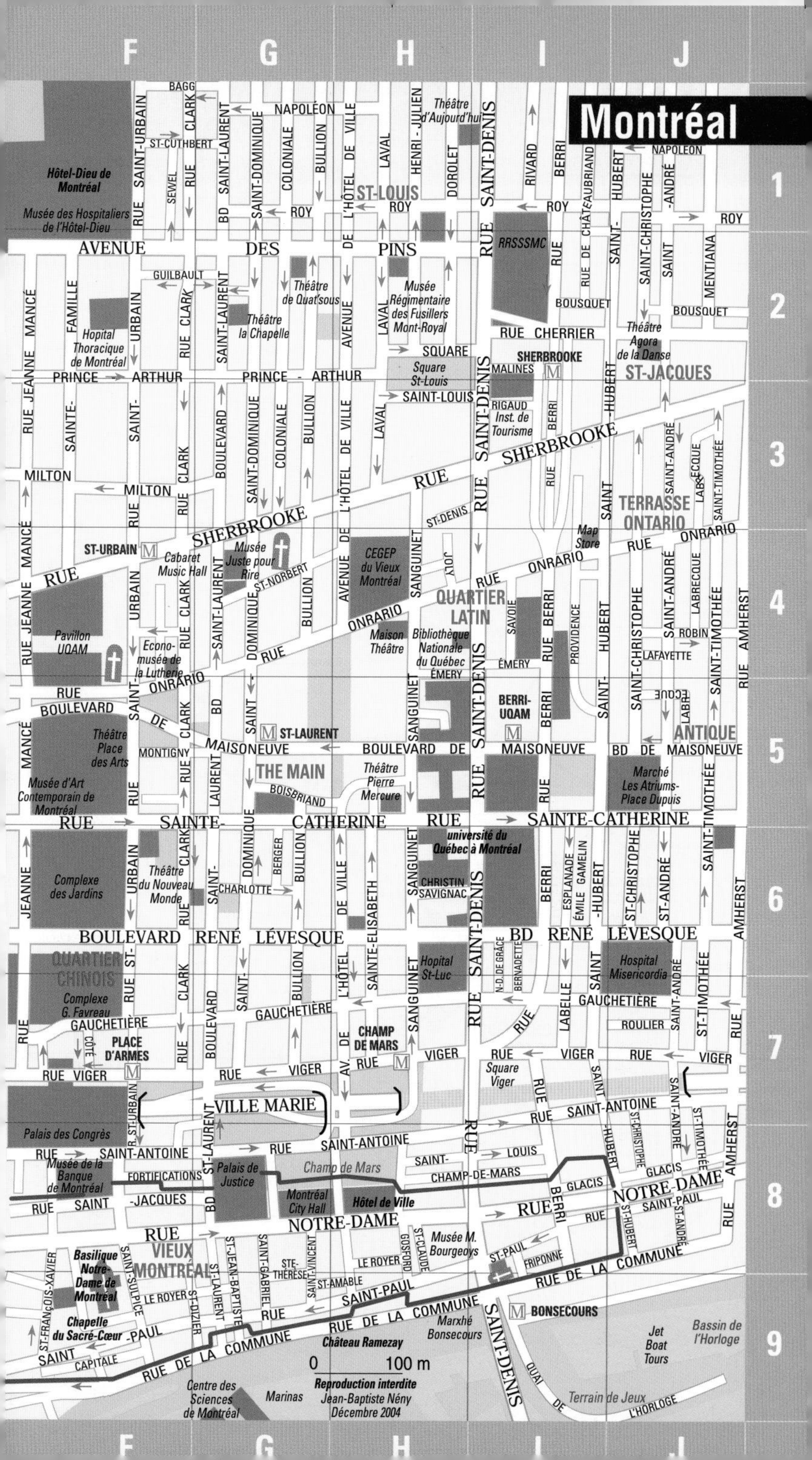
Montréal
F
G
H
I
J
1
2
3
4
5
6
7
8
9
Hôtel-Dieu de Montréal
Musée des Hospitaliers de l'Hôtel-Dieu
Théâtre d'Aujourd'hui
ST-LOUIS
RRSSSMC
Théâtre de Quat'sous
Musée Régimentaire des Fusillers Mont-Royal
Théâtre la Chapelle
Hopital Thoracique de Montréal
Théâtre Agora de la Danse
Square St-Louis
SHERBROOKE
ST-JACQUES
Inst. de Tourisme
TERRASSE ONTARIO
Map Store
ST-URBAIN
Cabaret Music Hall
Musée Juste pour Rire
CEGEP du Vieux Montréal
QUARTIER LATIN
Pavillon UQAM
Econo-musée de la Lutherie
Maison Théâtre
Bibliothèque Nationale du Québec
BERRI-UQAM
ANTIQUE
Théâtre Place des Arts
ST-LAURENT
Musée d'Art Contemporain de Montréal
THE MAIN
Théâtre Pierre Mercure
Marché Les Atriums-Place Dupuis
université du Québec à Montréal
Complexe des Jardins
Théâtre du Nouveau Monde
QUARTIER CHINOIS
Complexe G. Favreau
Hopital St-Luc
Hospital Misericordia
PLACE D'ARMES
CHAMP DE MARS
Square Viger
VILLE MARIE
Palais des Congrès
Musée de la Banque de Montréal
Palais de Justice
Champ de Mars
Montréal City Hall
Hôtel de Ville
VIEUX MONTRÉAL
Basilique Notre-Dame de Montréal
Chapelle du Sacré-Cœur
Musée M. Bourgeoys
BONSECOURS
Marxhé Bonsecours
Château Ramezay
Jet Boat Tours
Bassin de l'Horloge
Centre des Sciences de Montréal
Marinas
Terrain de Jeux
0 100 m
Reproduction interdite
Jean-Baptiste Nény
Décembre 2004

Métro / Subway

Apprendre
Learning

© Anatoly Tipyashin - FOTOLIA

CÉGEPS ET UNIVERSITÉS / CEGEPS AND UNIVERSITIES

CÉGEPS / CEGEPS

Le Service régional d'admission du Montréal métropolitain (SRAM) regroupe 31 cégeps, dont 13 de ces établissements publics se situent sur l'Île de Montréal (10 collèges francophones et 3 collèges anglophones). Le Québec possède un système d'éducation collégial qui lui est propre. Les établissements d'enseignement collégial se nomment CÉGEPS, ce qui signifie Collège d'Enseignement Général et Professionnel. Les résidents du Québec ont droit à la scolarité gratuite dans les cégeps.

Les cégeps offrent deux types de programme : la formation préuniversitaire en 2 ans qui prépare à l'université, et la formation technique en 3 ans qui débouche sur le marché du travail tout en permettant la poursuite d'études universitaires. Les élèves suivent une formation générale commune (langue d'enseignement et littérature, langue seconde, philosophie, éducation physique), une formation générale propre au programme, une formation générale complémentaire et la formation spécifique au programme.

En vue de choisir votre cégep en fonction du programme d'études que vous souhaitez suivre, rendez vous sur le site du SRAM: www.sram.qc.ca . Le guide général d'admission sur leur site web présente de façon très claire les programmes des différents cégeps. Vous pouvez également vous rendre aux journées portes ouvertes, organisées chaque année, dans le but de présenter l'établissement (voir le calendrier, toujours sur www.sram.qc.ca).

Une fois votre choix fait, inscrivez-vous en ligne sur http://sram.omnivox.ca (c'est ce qu'il y a de plus simple). Pour la session d'automne, la date limite d'inscription est le 1er mars. Au premier tour, vous ne pourrez formuler qu'un seul choix de programme et de cégep. À la mi-avril, vous saurez si votre choix a été retenu ou pas. Sinon, vous choisirez le cégep et le programme dans une deuxième liste, le tableau des places disponibles. Il existe un troisième tour pour ceux dont le deuxième choix a été refusé.

Les étudiants en provenance de l'étranger peuvent faire une demande d'admission dans un cégep. Une fois admis, ils devront se procurer un certificat de sélection du Québec ainsi que les visas et autres documents nécessaires.

Le Service régional d'admission du Montréal métropolitain (SRAM) unites 31 CEGEPs, and 12 of these public institutions are located on the island of Montreal (10 francophone colleges and 3 anglophone colleges). Quebec has a unique college education system. The educational institutions are called CEGEPs, which stands for Collège d'Enseignement Général et Professionnel. Quebec residents have the right to free education at the CEGEPs.

CEGEPs offer two kinds of programmes: 2-year pre-university programmes, which prepare you for university, and technical training for 3 years that prepares you for the job market as well as a university education. All students take general education courses (language of instruction and literature, second language, humantities, physical education), courses related to their programme of study, and complementary courses designed for their programme.

To choose your CEGEP based on the programme you want to take, go on the SRAM website: www.sram.qc.ca. The Guide to General Admission you'll find there clearly outlines the programmes offered by the different CEGEPs. You can also go to the open houses organised each year, which give you a chance to investigate each institution (see the calendar at www.sram.qc.ca).

Once you have made your choice, you can apply on-line at http://sram.omnivox.ca (nothing could be easier). For the fall session, the application deadline is March 1. For the first go-round, you can only choose one programme and one CEGEP. In mid-April, you will know if you've been accepted or not. If not, you will be able to choose a programme and CEGEP from a second list from a table of available spaces. There's a third go-round for those whose second choice was not accepted.

Foreign students can apply to a CEGEP. Once admitted, they have to get a Quebec Selection Certificate as well as visas and other necessary documents.

RESSOURCES EN LIGNE / ON-LINE RESOURCES

Le site du Service régional d'admission du Montréal métropolitain **www.sram.qc.ca** est très bien fait. Il présente les différents programmes des cégeps et permet de s'inscrire en ligne en se rendant sur : **http://sram.omnivox.ca**

The website of the Service régional d'admission du Montréal métropolitain **www.sram.qc.ca** is very well done. It presents the different CEGEPs' programmes and allows you to apply on-line at:**http://sram.omnivox.ca**

Vous pouvez aussi naviguer sur les sites des différents cégeps. Voici les coordonnées des établissements du SRAM sur l'Île de Montréal / You can also navigate the CEGEPs' websites. Here are the web addresses of the various SRAM institutions on the Island of Montreal:

COLLÈGE AHUNTSIC
www.collegeahuntsic.qc.ca

COLLÈGE DE ROSEMONT
www.crosemont.qc.ca

CÉGEP JOHN ABBOTT COLLEGE
[CÉGEP ANGLOPHONE / ANGLOPHONE CEGEP]
www.johnabbott.qc.ca

COLLÈGE BOIS-DE-BOULOGNE
www.bdeb.qc.ca

CÉGEP DE SAINT-LAURENT
www.cegep-st-laurent.qc.ca

CÉGEP VANIER COLLEGE
[CÉGEP ANGLOPHONE/ ANGLOPHONE CEGEP]
www.vaniercollege.qc.ca

CÉGEP DU VIEUX MONTRÉAL
www.cvm.qc.ca

COLLÈGE DE MAISONNEUVE
www.maisonnneuve.qc.ca

CÉGEP MARIE-VICTORIN
www.collegemv.qc.ca

COLLÈGE DAWSON COLLEGE
[CÉGEP ANGLOPHONE/ ANGLOPHONE CEGEP]
www.dawsoncollege.qc.ca

INSTITUT DE TOURISME ET D'HÔTELLERIE DU QUÉBEC
www.ithq.ca

COLLÈGE GÉRALD-GODIN
www.cgodin.qc.ca

CÉGEP ANDRÉ-LAURENDEAU
www.claurendeau.qc.ca

UNIVERSITÉS / UNIVERSITIES

Petite présentation des quatre universités. Certaines écoles affiliées aux universités sont décrites dans les sections suivantes.
A little presentation on the four universities in Montreal. Some of the schools affiliated to the universities are described in the following sections.

UNIVERSITÉ CONCORDIA/ CONCORDIA UNIVERSITY
Campus Sir George Williams, 1455 de Maisonneuve O/W
Campus Loyola, 7141 Sherbrooke O/W
(514) 848-2424
www.concordia.ca
Née en 1974 de la fusion du Collège Loyola et de l'Université Sir George Williams, l'Université Concordia compte aujourd'hui plus de 38,000 étudiants. 505 programmes de premier, deuxième et troisième cycle y sont proposés. Ils se caractérisent par leur caractère novateur et se répartissent dans les facultés d'Arts et sciences, de génie et d'informatique, de beaux-arts et dans l'École de gestion John-Molson. Les programmes de premier cycle offrent aux étudiants la possibilité d'acquérir une expérience professionnelle.
L'interdisciplinarité, la possibilité de suivre des cours hors-faculté contribuent à la richesse de l'enseignement proposé.
L'université héberge 18 centres de recherche de pointe et 11 instituts. Sa qualité d'enseignement bilingue (en anglais et en français), son ouverture sur le monde – sa population étudiante est issue de 157 pays différents ! – et le soin tout particulier qu'elle porte à la bonification du quartier font d'elle une pionnière en matière d'excellence, de perfectionnement technologique et de multiculturalisme.
Founded in 1974 as a result of the amalgamation of Loyola College and Sir George Williams University, Concordia University now enrolls over 38 000 students. 505 innovative programmes for undergraduates, Master's and Ph.D students are available in the faculties of Arts and Sciences, Engineering and Computer Sciences, Fine Arts, as well as in the John Molson School of Business. The undergraduate programmes provide students with the opportunity to gain professional experience. The possibility of taking courses from other faculties in a spirit of interdisciplinarity contributes to the richness of the educational experience.

UNIVERSITÉ MCGILL / MCGILL UNIVERSITY
845, rue Sherbrooke O/W
(514) 398-4455
www.mcgill.ca
La vieille et noble McGill, joyau fondé en 1821, sur ce qui allait devenir le centre-ville même de Montréal est l'un des centres universitaires les plus connus en Amérique du Nord. L'enseignement se fait essentiellement en anglais. Les bâtiments, au centre-ville, sur un flanc du Mont-Royal, sont superbes.
Mc Gill compte onze facultés et dix écoles, plus un centre d'éducation permanente, et offre des programmes en arts (lettres et sciences humaines), droit (dont un premier cycle comprenant du Common law et du droit civil), génie, médecine, sciences, sciences de l'éducation et sciences de l'agriculture et de

© Université de Montréal

l'environnement. Au total, l'université propose des formations dans 300 champs d'études. Certaines écoles et programmes sont interdisciplinaires, comme l'Ecole d'environnement et le Centre de recherche interdisciplinaire en musique, médias et technologie. Plus de 30 000 étudiants se partagent les bancs de McGill. L'université accepte que les travaux et examens soient rédigés en français.

Founded in 1821 in what would become the downtown centre of Montreal, that old and noble jewel McGill is one of the most renowned universities in North America. Instruction is mostly in English. The buildings, located downtown on the flank of Mount-Royal, are superb. McGill boasts eleven faculties and ten schools, plus a Continuing Education Centre, and programs in Arts (Letters and Social Sciences), Law (the undergraduate programme includes Common and Civil Law), Engineering, Medicine, Sciences, Education Sciences, Agricultural Sciences and Environmental Sciences. All together, the university provides instruction in 300 fields of study. Certain schools and programs are interdisciplinary, such as the School of the Environment and the Interdisciplinary Centre of Research in Music, Media and Technology. More than 30 000 students are enrolled at McGill. The university accepts that homework and exams are written in French as well as English

UNIVERSITÉ DE MONTRÉAL/ UNIVERSITY OF MONTREAL

2900, Édouard – Montpetit
(514) 343- 6111
www.umontreal.ca

Fondée en 1878, l'UdeM est la plus ancienne des universités francophones de Montréal. Elle compte 13 facultés, couvrant tant les sciences humaines et sociales, que les diverses disciplines des sciences pures et de la santé. Elle compte 55 000 étudiants par année, ce qui en fait la plus grande université du Québec en terme d'effectifs et la seconde du Canada. Elle est la seule université à regrouper toutes les disciplines du secteur de la santé (médecins, dentistes, infirmières, optométristes, vétérinaires). L'École des Hautes Études Commerciales, l'École Polytechnique et l'École de médecine vétérinaire (à Saint-Hyacinthe) lui sont affiliées.

Founded in 1878, U of M is the oldest French university in Montreal, with 13 faculties covering the social sciences, as well as the various science and health disciplines. With 55 000 students each year, U of M is the biggest university in Quebec and the second largest in Canada. U of M is the only university to house all the health disciplines (Medicine, Dentistry, Nursing, Optometry, Veterinary services). The École des Hautes Études Commerciales (HEC), the École Polytechnique and the École de médecine vétérinaire (in Saint-Hyacinthe) are affiliates

CHOISIR SON UNIVERSITÉ / CHOOSING A UNIVERSITY

DUR DUR DE FAIRE SON CHOIX, AU VU DE LA QUALITÉ ET DE L'INTÉRÊT DES UNIVERSITÉS. UNE CHOSE ESSENTIELLE À GARDER EN TÊTE : IL N'Y A PAS UNE UNIVERSITÉ MEILLEURE QUE LES AUTRES. PAR CONTRE, CERTAINES SONT PLUS ADAPTÉES À VOTRE DOMAINE DE PRÉDILECTION ET À LA FAÇON DONT VOUS SOUHAITEZ MENER VOS ÉTUDES (STAGE, RECHERCHE, MI-TEMPS, INTERDISCIPLINARITÉ ...) LES SITES WEBS, TRÈS BIEN CONÇUS, RÉPONDRONT À BEAUCOUP DE VOS QUESTIONS. ENFIN, N'HÉSITEZ PAS À CONTACTER LES PROFESSEURS ET LES RESPONSABLES DE DÉPARTEMENTS. SI VOUS ÊTES À MONTRÉAL, VOUS POURREZ VOUS RENDRE AUX JOURNÉES PORTES OUVERTES, ORGANISÉES RÉGULIÈREMENT.

IT'S HARD TO CHOSE BETWEEN THE UNIVERSITIES, GIVEN THEIR QUALITY AND VARIOUS ATTRACTIONS. ONE THING TO KEEP IN MIND IS THAT NO UNIVERSITY IS BETTER THAN ANOTHER. IN FACT, SOME ARE BETTER ADAPTED FOR YOUR AREA OF INTEREST AND THE WAY THAT YOU'D LIKE TO MANAGE YOUR STUDIES (INTERNSHIP, RESEARCH, PART-TIME STUDIES, INTERDISCIPLINARY STUDIES...). THE WELL DEVELOPED WEBSITES WILL ANSWER MANY OF YOUR QUESTIONS. FINALLY, DON'T HESITATE TO CONTACT PROFESSORS AND DEPARTMENT HEADS. IF YOU LIVE IN MONTREAL, YOU MIGHT WANT TO ATTEND THE FREQUENT OPEN HOUSES.

UNIVERSITÉ DU QUÉBEC À MONTRÉAL (UQAM)

Plusieurs bâtiments situés à proximité de la station de métro Berri-UQAM./Many of the buildings are located near Berri-UQAM Metro.
(514) 987-3000
www.uqam.ca

L'UQAM est l'université publique francophone sise au cœur du Quartier latin. Créée il y a 35 ans, c'est la plus jeune des universités montréalaises. Elle regroupe six facultés (arts, communication, science politique et droit, sciences, sciences de l'éducation et sciences humaines) et une école des sciences de la gestion qui offrent, au total, 170 programmes de premier cycle et 110 programmes de cycles supérieurs. L'UQAM se distingue par l'importance qu'elle accorde à la formation pratique : plus de 85% des programmes de baccalauréat offrent la possibilité d'effectuer des stages. Parmi les programmes renommés de l'UQAM, on recense la biologie en apprentissage par problèmes, le génie microélectronique, les relations internationales, les relations publiques, les arts et les sciences humaines.

UQAM is the public francophone university located smack dab in the middle of the Latin Quarter. Established only 35 years ago, it's the youngest of the Montreal universities, comprising six faculties (Arts, Communications, Political Science and Law, Sciences, Education Sciences and Social Sciences) and a School of Management Sciences, for a total of 170 undergraduate programmes and 110 graduate programmes. UQAM is distinguished by the importance it ascribes to practical training: more than 85% of its Bachelor's programmes include the possibility of internships. The renowned programmes at UQAM include problem-based Biology, Microelectronic Engineering,

International Relations, Public Relations, Arts and Social Sciences.

UNIVERSITÉS AILLEURS AU QUÉBEC / UNIVERSITIES ELSEWHERE IN QUEBEC

Ce choix n'est pas exhaustif. Pour l'ensemble des universités québécoises, allez sur le site : **www.crepuq.qc.ca** puis cliquez sur universités québécoises.
For a complete list of Quebec Universities, go to the website **www.crepuq.qc.ca** and then click on Quebec Universities.

UNIVERSITÉ DE SHERBROOKE/ SHERBROOKE UNIVERSITY
CAMPUS PRINCIPAL :
2500, de l'Université, Sherbrooke
(819) 821-7000
CAMPUS DE LA SANTÉ :
3001, 12e avenue nord, Sherbrooke
(819) 564-5200
CAMPUS DE LONGUEUIL :
1111, Saint-Charles Ouest, tour ouest, 5e étage, bureau 500, Longueuil.
(450) 463-1835, poste 1781
Appel sans frais : 1-888-463-1835, poste 1781
REGISTRAIRE :
(819) 821-7694
Appel sans frais : 1-800-267-UDES
www.usherbrooke.ca
L'Université de Sherbrooke, située à 1h30 de Montréal, accueille 35 000 étudiantes et étudiants chaque année, dont près de 15 000 à temps complet. Elle se démarque par le caractère novateur de ses programmes de formation, par le haut niveau de ses travaux de recherche et par son régime coopératif qui permet aux étudiantes et aux étudiants de premier cycle d'alterner travail rémunéré et études. L'Université de Sherbrooke est connue mondialement pour ses réalisations en compression de la parole qui se retrouvent dans un milliard de téléphones cellulaires et dans des centaines de millions d'ordinateurs personnels à travers le monde.
The University of Sherbrooke, located 1 _ hours from Montreal, has 35 000 students enrolled each year, 15 000 of these full-time. The university boasts innovative training programs, high calibre research projects, and co-op programs that enable undergraduate students to alternate between paid work and study. The University of Sherbrooke is recognized worldwide for its findings in voice compression, used in a million cellular phones and in millions of personal computers around the world.

ÉCOLES DE COMMERCE/ BUSINESS SCHOOLS

ECOLE DE COMMERCE JOHN MOLSON/JOHN MOLSON SCHOOL OF BUSINESS
1455, avenue de Maisonneuve O/W,
(514) 848-2424, poste 2779.
http://johnmolson.concordia.ca
Cette école de commerce affiliée à l'Université Concordia plaira particulièrement à tous ceux qui souhaitent étudier les affaires, en anglais. Il est possible d'effectuer des programmes d'études dans les domaines suivants : comptabilité, finances, ressources humaines, gestion des systèmes d'information et marketing. Les études peuvent aisément être combinées avec des stages. L'école offre plusieurs programmes de premier cycle, de maîtrise et des programmes plus spécialisés, tels la gestion du sport, le e-business, etc.
This business school affliated with Concordia University will appeal to those who want to study business in english. It's possible to pursue studies in the following programs: Accounting, Finance, Human Resources, Information Systems Management and Marketing. Studies can also easily be combined with internships. The school offers many specialised undergraduate, Master's and doctoral programmes, such as Sports Management, E-Business, etc.

ÉCOLE DES SCIENCES DE LA GESTION (ESG UQAM) / SCHOOL OF MANAGEMENT
315, Sainte Catherine E
(514) 987-3656
Admission/registraire : (514) 987-3132
www.esg.uqam.ca
L'ESG est la plus importante des écoles de gestion en Amérique du Nord en terme d'effectifs : elle compte plus de 12 000 étudiants et 600 professeurs et chargés de cours. Sa réputation lui a permis d'obtenir l'accréditation EQUIS (European Quality Improvement System), accédant ainsi au club très sélect des écoles d'administration à vocation internationale. L'ESG offre plus de trente programmes de premier cycle, une vingtaine de programmes de maîtrises, 11

diplômes d'études supérieures spécialisées et programmes courts de deuxième cycle, ainsi que trois programmes de doctorats. À ce jour, l'ESG compte plus de 50 000 diplômés en administration, sciences comptables, gestion du tourisme, études urbaines, management et technologie, organisation et ressources humaines, stratégie des affaires et sciences économiques

The ESG is the biggest management school in North America with 12 000 students and 600 professors and lecturers. Its reputation has earned it accreditation with EQUIS (European Quality Improvement System), as well as membership in the select club of international administration schools. The ESG offers over 30 undergraduate programmes, 20 Master's programmes, 11 graduate diplomas and short Master's programmes, as well as 3 doctoral programmes. To this date, the ESG has over 50 000 graduates in Administration, Accounting, Tourism Management, Urban Studies, Management and Technology, Organisation and Human Resources, Business Strategies and Economics.

HEC MONTRÉAL
3000, chemin de la Côte Sainte-Catherine
(514) 340- 6000
www.hec.ca

Fondée en 1907, HEC Montréal se distingue par le caractère multiculturel de sa clientèle qui compte plus de 12 000 étudiants provenant de plus d'une soixantaine de pays. Forte d'un corps professoral de 240 professeurs, on y retrouve 33 programmes d'études en gestion, couvrant les certificats, le baccalauréat en administration des affaires (B.A.A.), les maîtrises et le doctorat en administration. Le nouveau B.A.A. trilingue est offert aux étudiants souhaitant étudier en gestion en trois langues - anglais, français et espagnol. De plus, HEC Montréal offre des échanges internationaux dans 76 universités et grandes écoles de gestion dans 29 pays. Classée parmi les meilleurs programmes internationaux de MBA, selon les magazines Forbes (2005) et BusinessWeek (2004), HEC Montréal a été la première et reste la seule école de gestion en Amérique du Nord à détenir les trois agréments les plus prestigieux dans son domaine : AACSB International, EQUIS et AMBA.

Founded in 1907, HEC Montréal is distinguished by its multicultural nature and its clientele of 12 000 students from more than 60 countries. With a faculty of 240 professors, you will find 33 programmes in management, including certificate programmes, Bachelor's in Business Administration (B.A.A.), Master's and Ph.D degrees in Administration. The new trilingual B.A.A. is offered to students interested in studying in English, French and Spanish. In addition, HEC Montréal offers exchange programs with 76 universities and big management schools in 29 countries. Classified among the best international MBA programmes according to Forbes (2005) and BusinessWeek (2004), HEC Montréal was and remains the first business school in North America to get the three most prestigious classifications in its domain: AACSB International, EQUIS and AMBA.

FACULTÉ DE MANAGEMENT DESAUTELS/ DESAUTELS FACULTY OF MANAGEMENT
Bâtiment Bronfman. 1001, Sherbrooke O/W
(514) 398-4068
www.mcgill.ca/management

L'Université McGill propose les trois cycles d'étude en management. Le programme BCom de premier cycle permet d'allier un choix de cours généraux (comptabilité, entrepreneuriat, finance, commerce international, marketing, ressources

AVIS AUX ÉTUDIANTS ÉTRANGERS SOUHAITANT FAIRE UN PREMIER CYCLE EN ADMINISTRATION DES AFFAIRES / ADVICE TO FOREIGN STUDENTS WISHING TO DO AN UNDERGRADUATE DEGREE IN BUSINESS ADMIN

AU QUÉBEC, AVEC LE SYSTÈME DES CÉGEPS LES JEUNES FONT UNE ANNÉE DE SECONDAIRE DE PLUS QUE DANS LA PLUPART DES AUTRES PAYS. POUR PALLIER CET ÉCART, HEC MONTRÉAL A MIS AU POINT UNE ANNÉE DE PRÉPARATION AU B.A.A. (BACCALAURÉAT EN ADMINISTRATION DES AFFAIRES), DÉDIÉE EXCLUSIVEMENT AUX ÉTUDIANTS ÉTRANGERS. UNE EXCELLENTE FAÇON DE RATTRAPER LE NIVEAU ET DE DÉCOUVRIR LE QUÉBEC AVANT DE COMMENCER SON B.A.A.

IN QUEBEC, WITH THE CEGEP SYSTEM, STUDENTS DO THE EQUIVALENT OF AN EXTRA YEAR OF HIGH SCHOOL COMPARED TO THOSE IN OTHER COUNTRIES. TO REDRESS THIS DIFFERENCE, HEC MONTRÉAL HAS INSTITUTED A QUALIFYING YEAR FOR THE B.A.A. (BACHELOR'S IN BUSINESS ADMINISTRATION), EXCLUSIVELY FOR FOREIGN STUDENTS. THIS IS AN EXCELLENT WAY TO PREPARE FOR THE LEVEL OF THE BACHELOR'S AND TO DISCOVER QUEBEC BEFORE STARTING YOUR B.A.A

humaines etc.) avec une mineure en mathématiques, en statistiques ou avec une matière d'une autre faculté. Des options de management international permettent de se spécialiser sur les zones suivantes : Amérique latine et Caraïbes, Asie de l'Est, Europe de l'Ouest, Canada et Amérique. Plusieurs MBA offrent des formations particulièrement novatrices et interdisciplinaires (ex : programme conjoint médecine et management ou management et droit).
McGill University offers studies in management at the three levels. The B.Com. programme offers a selection of general courses (Accounting, Entrepreneurship, Finance, International Business, Marketing, Human Resources) with a minor in Math, Statistics or a course from another faculty. Electives in International Management will enable you to study about the following regions: Latin America and the Caribbean, East Asia, Western Europe, Canada and the United States. Many of the MBA programmes offer innovative and interdisciplinary training (eg. joint programme in Medicine and Management or Management and Law).

ÉCOLES DE GÉNIE / ENGINEERING SCHOOLS

ÉCOLE POLYTECHNIQUE / POLYTECHNICAL SCHOOL
2500, chemin de Polytechnique
(514) 340-4711
www.polymtl.ca
Fondée en 1873, l'École Polytechnique de Montréal est l'un des plus importants établissements d'enseignement et de recherche en génie au Canada. Elle occupe le premier rang au Québec quant au nombre de ses étudiants et à l'ampleur de ses activités de recherche. Polytechnique dispense son enseignement dans 11 spécialités de l'ingénierie et réalise près du quart de la recherche universitaire en ingénierie au Québec. L'école compte 220 professeurs et près de 6 000 étudiants. Polytechnique est affiliée à l'Université de Montréal.
Founded in 1873, the École Polytechnique de Montréal is one of the biggest educational and research institutions of engineering in Canada. It is ranked first in Quebec in terms of the number of students and the breadth of its research activities. The Polytechnique teaches 11 engineering specialties and engages in about a quarter of the university research in engineering in Quebec. The school has 220 professors and almost 6000 students. The Polytechnique is affiliated to the University of Montreal.

ÉCOLE DE TECHNOLOGIE SUPÉRIEURE / SCHOOL OF ADVANCED TECHNOLOGY
1100, Notre-Dame O/W
(514) 396-8800
www.etsmtl.ca
Les programmes d'enseignement de l'ETS, spécialisés en génie appliqué et orientés vers le transfert technologique en entreprise, sont conçus pour répondre aux besoins de l'industrie. Depuis sa fondation en 1974, la formule de l'enseignement coopératif - qui fait alterner les trimestres de cours avec des stages rémunérés en entreprise - est l'une des particularités et des forces de l'ETS. Cette école compte 4 500 étudiants, répartis dans les programmes des trois cycles.
The educational programs of the ETS, specialising in applied engineering with a focus on business technological transfer, are designed to respond to the industry's needs. Since its foundation in 1974, the forumla of co-op education—alternating trimesters of study with paid internships in businesses—is one of the strengths of the ETS. This school has 4500 students studying for undergraduate and graduate degrees.

MCGILL ET CONCORDIA PROPOSENT DES PROGRAMMES DANS LES TROIS CYCLES EN GÉNIE. VOUS TROUVEREZ LES DÉTAILS SUR LES SITES WEB DES FACULTÉS :
MCGILL AND CONCORDIA OFFER UNDERGRADUATE AND GRADUATE PROGRAMMES IN ENGINEERING. YOU'LL FIND THE DETAILS ON THE FACULTY WEBSITES:
WWW.MCGILL.CA/ENGINEERING
WWW.ENCS.CONCORDIA.CA

ENSEIGNEMENT A DISTANCE / LONG DISTANCE LEARNING

TÉLÉ-UNIVERSITÉ
100, Sherbrooke O/W
(514) 843-2015
www.teluq.uquebec.ca
La Télé-université, ou Téluq, est le premier établissement supérieur spécialisé en formation à distance au Québec. Elle est devenue récemment une composante de l'Université du Québec à Montréal (UQAM). La Téluq a pour mission l'enseignement universitaire et la recherche. Elle se distingue par son mode d'enseignement souple, qui permet de poursuivre des études universitaires à l'heure et au rythme désirés. Elle accueille annuellement plus de 16 000 étudiantes et étudiants. Ses 60 programmes à distance sont sanctionnés par un diplôme de l'Université du Québec à Montréal.
La Téluq et l'UQAM réunies forment désormais la plus grande université bimodale de la francophonie, alliant formation sur campus et formation à distance.
The Télé-université, or Téluq, is the first institution of university learning specialised in long distance education in Quebec. Recently, Téluq became a component of UQAM. Téluq's mission includes university teaching and research. Characterised by a flexible teaching style, Téluq enables students to pursue university level studies at their own pace and schedule. Téluq annually registers over 16 000 students. Its 60 long-distance programmes lead to a UQAM degree.
Téluq and UQAM united create the biggest bimodal university in the French-speaking world, combining on-campus and long distance instruction.

CÉGEP À DISTANCE / LONG DISTANCE CEGEP
7100, Jean-Talon E, 7e étage /7 th floor
(514) 864-6464 ou 1-800-665-6400
www.cegepadistance.ca
Fondé en 1991, le Cégep@distance propose des cours de niveau collégial, en format Internet ou imprimé, à toute personne qui désire poursuivre sa formation malgré des contraintes de temps ou de lieu. On y offre des programmes de DEC ou d'AÉC, notamment en sciences humaines, en techniques de comptabilité et de gestion, en techniques d'éducation à l'enfance et en assurance de dommages. Les services offerts sont similaires à ceux de tout autre cégep. Cependant, les inscriptions sont possible en tout temps et chaque étudiant est jumelé à un tuteur qu'il peut joindre par téléphone ou par messagerie électronique.
Founded in 1991, the Cégep@distance offers college-level courses in an Internet format for all who wish to pursue their training despite time and location constraints. Cégep@distance offers DEC or AEC programmes, notably in the Social Sciences, Accounting and Management, Early Childhood Education and

Accident Insurance. The services are similar to those at other CEGEPs. However, registration is possible at any time, and each student is matched with a tutor who can be reached by phone or by mail.

ÉCOLE D'ADMINISTRATION PUBLIQUE / PUBLIC ADMINISTRATION SCHOOL

ÉCOLE NATIONALE D'ADMINISTRATION PUBLIQUE (ENAP)/ SCHOOL OF PUBLIC ADMINISTRATION
4750, Henri Julien, (514) 849- 3989
Registraire : (514) 849- 3449
Siège social : 555, boulevard Charest Est
Québec (Québec) G1K 9E5
(418) 641-3000
1 800 808-3627
www.enap.uquebec.ca
L'ENAP est un établissement public d'enseignement supérieur, de 2e et de 3e cycles, voué à la formation et au perfectionnement des gestionnaires publics et à la recherche en administration publique. Elle est présente, outre à Québec, à Montréal, Saguenay, Trois-Rivières et Gatineau. Les trois champs principaux d'apprentissage sont l'analyse des politiques publiques, l'analyse des organisations et l'évaluation des processus et des techniques de gestion. Elle maintient une étroite collaboration avec d'autres institutions universitaires et le gouvernement québécois. De plus, l'ÉNAP est largement engagée dans divers projets de coopération, notamment en Afrique, en Amérique latine et en Asie.
The ENAP is a public, post-graduate institution dedicated to the training and development of civil servants and to research in public

ATTENTION AUX DÉLAIS/ WATCH OUT FOR DELAYS

COMPTEZ PRÈS DE 8 MOIS ENTRE LA DATE DE LA RENTRÉE ET LE MOMENT OÙ IL FAUDRA DÉPOSER VOTRE DOSSIER (FÉVRIER-MARS POUR LA SESSION D'AUTOMNE ; SEPTEMBRE-OCTOBRE POUR UNE ÉVENTUELLE SESSION D'HIVER. CERTAINS PROGRAMMES EXIGENT QUE VOUS POSTULIEZ ENCORE PLUS EN AVANCE. PAR EXEMPLE, POUR LE PROGRAMME DE PREMIER CYCLE EN DROIT DE MCGILL, POSTULEZ DÉBUT NOVEMBRE POUR LA RENTRÉE D'AOÛT SUIVANT). LES ÉTUDIANTS ÉTRANGERS DOIVENT SOUVENT DÉPOSER LES DOSSIERS PLUS TÔT ET JOINDRE PLUS DE PIÈCES. DE PLUS, IL FAUDRA CONSACRER UN CERTAIN TEMPS À L'ÉLABORATION DE SON DOSSIER. POUR LES INSCRIPTIONS DANS UNE UNIVERSITÉ DONT LA LANGUE D'ENSEIGNEMENT N'EST PAS DONNÉ DANS SA LANGUE MATERNELLE, NI CELLE DE SON LIEU D'ENSEIGNEMENT PRÉCÉDENT, IL FAUDRA PASSER UN TEST. CELA PEUT PRENDRE PLUSIEURS MOIS (EX : COMPTER 3 MOIS POUR LE TOEFL, LE TEMPS DE TROUVER UNE PLACE LIBRE POUR L'EXAMEN ET DE RECEVOIR LES RÉSULTATS). BREF, PAS DE PANIQUE, MAIS PRENEZ VOUS-Y BIEN EN AVANCE !

THE BEGINNING OF TERM IS ABOUT 8 MONTHS AWAY FROM THE TIME YOU APPLY (FEB-MARCH FOR THE FALL SESSION; SEPT-OCT FOR THE WINTER SESSION. CERTAIN PROGRAMS REQUIRE THAT YOU APPLY EARLIER. FOR EXAMPLE, FOR THE LAW UNDERGRADUATE PROGRAMME AT MCGILL, EXPECT TO APPLY IN NOVEMBER FOR THE TERM BEGINNING THE NEXT AUGUST!) FOREIGN STUDENTS ARE OFTEN REQUIRED TO APPLY EARLIER AND TO INCLUDE CERTAIN DOCUMENTS. IN ADDITION, YOU HAVE TO SPEND SOME TIME PREPARING YOUR APPLICATION. FOR REGISTRATION TO A UNIVERSITY WHERE THE LANGUAGE OF INSTRUCTION IS NOT YOUR MOTHER TONGUE NOR THE LANGUAGE OF INSTRUCTION AT YOUR PREVIOUS EDUCATIONAL INSTITUTION, YOU HAVE TO PASS A LANGUAGE TEST. THIS MAY TAKE A FEW MONTHS (EG. 3 MONTHS FOR THE TOEFL, INCLUDING THE TIME TO FIND A SPOT TO TAKE THE EXAM AND THEN TO GET THE RESULTS). IN SHORT, DON'T PANIC, BUT MAKE SURE TO GET STARTED EARLY

administration. Outside of Quebec city, the school has a presence in Montreal, Saguenay, Trois-Rivières and Gatineau. The three main areas of study are analysis of public policy, analysis of organisations and the evaluation of management procedures and technics. The school collaborates closely with other universities and with the government. In addition, the ENAP is very much engaged in many cooperative projects, specially in Africa, Latin America and Asia.

LES ARTS DE LA SCÈNE / STAGE ARTS

AFRIQUE EN MOUVEMENT/ AFRICA IN MOTION
910, Jean-Talon E
(514) 270-6914
www.afrique-en-mouvement.ca
Métro Jean-Talon
Centre d'arts africains et école dans laquelle plusieurs forfaits sont disponibles (1, 4, 6, 10 ou 12 cours); 10% de rabais pour étudiants. On peut s'inscrire en tout temps durant une session. Trois soirs d'essais gratuits au début de chaque session nous donnent la possibilité de pratiquer toutes les disciplines : danse africaine traditionnelle avec musiciens "live" ; percussions africaines : tamtam (djembé) et doumdoums ; danse afrokarayib ; salsa ; danse afrojazz ; hiphop ; gumboots ; danses berbères ; baladi ; danses afropop ; mise en forme. Dans une ambiance conviviale et sans aucune compétition, on s'amuse et on s'initie à la culture africaine. Le plus difficile est de choisir, après les essais gratuits, quel cours prendre ! Heureusement, il y a aussi des forfaits lorsqu'on choisit de suivre plus d'un cours !
A centre of African arts and school for which many packages are available (1, 4, 6, 10 or 12 lessons); 10% student discount. You can subscribe any time during the session. Three nights of free lessons are offered at the beginning of each session which gives you a chance to sample all the styles: traditional African dance with "live" musicians; African drumming: tamtam (djembe) and doumdoums; Afro-Caribbean dance; salsa; Afrojazz dance, hiphop; gumboot dancing; Berber dancing; Afropop dance; toning. In a friendly atmosphere without competition, you can have fun and learn about African culture. The hardest part is choosing, after the free classes, which course to take! Luckily, there are deals if you choose to sign up for more than one course!

ATELIERS DE DANSE MODERNE /CONTEMPORARY DANCE WORKSHOP
372, rue Sainte Catherine O/W
(514) 866-9814
www.ladmmi.com
La mission de ces ateliers est de former des professionnels de la danse contemporaine. Le programme dure trois ans et permet l'obtention d'un diplôme d'études collégiales (DEC) ou d'une attestation d'études collégiales (AÉC). Grâce à un partenariat, certains cours sont donnés au cégep du Vieux Montréal. Ce programme études-carrière s'engage à faciliter l'entrée des jeunes diplômés dans le monde professionnel. Cette aide prend la forme de conseils en gestion de carrière, d'organisation de spectacles, etc.
The goal of these workshops is to train contemporary dance professionals. The three-year programme leads to a DEC (Diplôme d'études collégiales) or AEC (attestation d'études collégiales). Due to a partnership, some classes are offered at the Cégep du Vieux Montreal. This career program facilitates graduates' entry into the professional arena. This support comes in the form of advice in career management, show planning, etc.

CONSERVATOIRE D'ART DRAMATIQUE DU QUÉBEC / DRAMA CONSERVATORY OF QUEBEC
4750, avenue Henri-Julien
(514) 873-4283
www.mcc.gouv.qc.ca/conservatoire
Le Conservatoire d'art dramatique de Montréal est une école supérieure de formation professionnelle, publique (les droits de scolarité sont par conséquent très raisonnables). Sa mission est de former des acteurs et des actrices, de les préparer aux différents volets du métier, tant sur scène qu'à l'écran (petit ou grand). Elle s'engage à les encourager et à les soutenir dans le développement et la réalisation de leur projet artistique. Depuis sa fondation en 1954, le CADM a contribué à former plus de 450 élèves. Le conservatoire offre un enseignement complet en jeu aux titulaires d'un diplôme d'études collégiales (DEC) qui ont réussi les auditions, tenues une fois l'an. Relevant du ministère de la Culture et des Communications, l'école jouit de l'autonomie financière nécessaire pour offrir un

enseignement artistique de qualité dans des conditions favorables à l'épanouissement individuel et artistique.
The Conservatoire of Drama is a public institution of professional training (the tuition is therefore quite reasonable). Its mission is to train actors in the craft for various media, as much for the stage as for the screen (big and small). The Conservatoire encourages and supports students in the development and realisation of their artistic goals. Since its foundation in 1954, the CADM has contributed to the training of more than 450 students. The Conservatoire offers a complete education in acting. Its students, who receive a DEC (diplôme d'études collégiales), are admitted after an audions held once a year. Dependent on the Ministry of Culture and Communications, the school enjoys the financial autonomy necessary to offer a high quality of artistic instruction in conditions favourable to individual and artistic development.

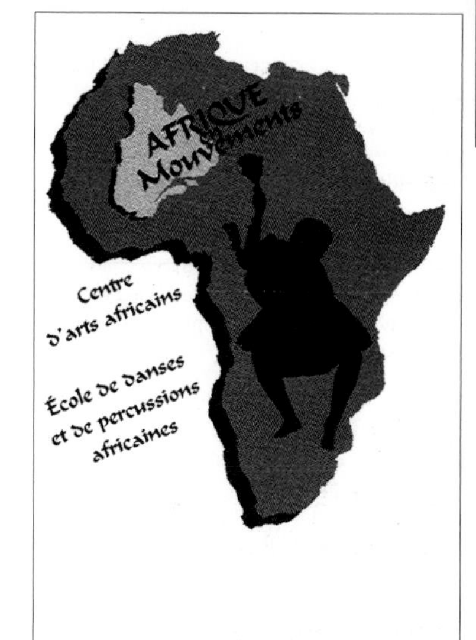

CONSERVATOIRE DE MUSIQUE DU QUÉBEC A MONTRÉAL / MUSIC CONSERVATORY OF QUEBEC--MONTREAL

4750, avenue Henri-Julien
(514) 873-4031
www.mcc.gouv.qc.ca/conservatoire

Cette institution publique fut fondée par le célèbre chef d'orchestre Wilfrid Pelletier en 1943. Depuis, de nombreux professionnels de la musique y ont été formés : instrumentistes, chanteurs et compositeurs. On y propose un large éventail de cours : alto, violon, violoncelle, contrebasse, piano, orgue, clavecin, guitare, harpe, flûte, basson, clarinette, cor, hautbois, saxophone, trombone, trompette, percussion, chant, direction d'orchestre, composition ... Mais, attention ! Le conservatoire n'accepte que des élèves ayant un niveau bien avancé et les trie sur le volet par une audition préalable ! Les mélomanes apprécieront les nombreux concerts offerts par les élèves et professeurs du conservatoire. Le programme est dense : orchestre symphonique, musique de chambre, chorale, musique contemporaine, conférences... En fin de semaine ou en soirée. Demandez le programme au numéro indiqué ci-dessus ou sur internet.
This public institution was founded by the celebrated conductor Wilfrid Pelletier in 1943. Since then, a number of music professionals have trained here: musicians, singers and composers. A broad range of courses are available: viola, violin, cello, bass, piano, organ, harpsichord, guitar, harp, flute, bassoon, clarinette, horn, oboe, saxophone, trombone, trumpet, percussion, singing, orchestral direction, composition... But, beware! The Conservatoire accepts only advanced students, displayed at a preliminary audition! Music lovers will appreciate the many concerts offered by the Conservatoire's students and professors. The programme is dense: symphony orchestra, chamber music, choir, contemporary music, lectures... on the weekend or at night. Ask for the programme at the number given above or on-line.

ÉCOLE SUPÉRIEURE DE BALLET CONTEMPORAIN/SCHOOL OF CONTEMPORARY BALLET

4816, rue Rivard
(514) 849-4929
www.esbcm.org

Le programme de formation appelé danse-étude est proposé aux élèves à partir de la 3e année du primaire, prêts à s'engager pour 12 ans... Il est néanmoins possible de s'inscrire plus tard. Les élèves suivent une formation d'enseignement générale parallèlement à leurs études de danse. Les cours de l'ENBC visent à former des danseurs qui peuvent s'adapter à tous les genres et styles de danse. L'école s'engage à laisser ses élèves libres de choisir leur

style, tout en leur enseignant les bases du ballet. L'École nationale de ballet contemporain est reconnue par diverses institutions publiques, dont le Ministère de la culture et des communications et Patrimoine Canada.
The training program called dance-study is offered to students who are prepared to commit to 12 years of training, starting in 3rd grade. It is nevertheless possible to register later on. Students receive academic instruction parallel with their dance studies. The ENBC courses aim to train dancers in all styles and forms of dance. The school leaves the choice of style up to the students, while grounding them in the ballet basics. The contemporary ballet school is recognized by many public institutions, including the Ministry of Culture and Communications and Heritage Canada.

ÉCOLE NATIONALE DE CIRQUE/ NATIONAL CIRCUS SCHOOL
8181, 2e avenue
(514) 982-0859
www.enc.qc.ca
Fondée en 1981 par Guy Caron et Pierre Leclerc, cette école de renommée internationale a contribué à l'émergence du Cirque du soleil et du Cirque Éloize. Les locaux ont été transférés en 2003 à la Tohu, la Cité des arts du cirque. Les élèves bénéficient de salles munies d'installations d'une qualité exceptionnelle, des plus adaptées et des plus sécuritaires. L'école accueille chaque année une centaine d'élèves, de différentes nationalités. Les programmes d'artiste du cirque, d'une durée de trois ans, sont reconnus par le ministère de l'éducation. Ils se veulent complets, tant sur le plan pédagogique que sur le plan artistique. Ils visent à transmettre les techniques d'interprétation et de création d'œuvres. L'école de cirque vient de mettre sur pied un programme pour les instructeurs et les formateurs oeuvrant dans le domaine du cirque de loisirs, du cirque social et de la formation préparatoire.
Founded in 1981 by Guy Caron and Pierre Leclerc, this internationally recognised school has contributed to the emergence of the Cirque du Soleil and the Cirque Éloize. The company moved to Tohu, the circus arts complex, in 2003. Students benefit from well-equipped rooms of exceptional quality, well adapted to the purpose, and safe. The 3-year circus artist programmes are recognised by the Ministry of Education. Their goal is to teach performance techniques and modes of creation. The circus school has started up a programme for instructors and trainers working in recreational circuses, social circuses and preparatory training.

ÉCOLE NATIONALE DE L'HUMOUR/ NATIONAL SCHOOL OF COMEDY
2120, Sherbrooke E, 7e étage
(514) 849-7876
www.enh.qc.ca
Les humoristes, qu'ils soient interprètes ou auteurs, trouveront tous les outils pour se perfectionner dans cette école reconnue par la profession et par les institutions publiques, dont le ministère de l'Èducation, le ministère de la Culture et Patrimoine Canada. L'École a été créée en partenariat avec le festival Juste pour rire, en 1988, pour faire face à l'absence quasi complète de formations pour les «comiques ». L'école s'est aujourd'hui dissociée de Juste pour rire. Ses formations durent entre un et deux ans. Il est également possible d'assister à des cours du soir.
The comedians, whether performers or authors, will find the tools they need to develop their skills in this school recognised by the profession and public institutions, including the Ministry of Education, the Ministry of Culture and Heritage Canada. The school use to have a partnership with the Just for Laughs Festival, in 1988, to address the dearth of training for comedians. However, the school is no longer associated with the festival. The training lasts between 1 and 2 years. It's also possible to take evening classes..

ÉCOLE NATIONALE DE THÉÂTRE DU CANADA/ NATIONAL THEATRE SCHOOL OF CANADA
5030, rue Saint-Denis
(514) 842-7954 ou 1-866-547-7328
www.ent-nts.qc.ca
L'ENT dispense une formation de qualité pour devenir un acteur, un auteur dramatique, un metteur en scène, un scénographe, un directeur de production, un directeur technique, un concepteur de son ou d'éclairages, un assistant à la mise en scène ou un régisseur. Bref, sous un même toit, tous les programmes de formation théâtrale, en français et en anglais.
L'engagement dans les programmes de l'école exclut toute travail à l'extérieur, même à temps partiel. Ainsi, l'élève se consacre exclusivement à sa formation. L'école est dotée d'une bibliothèque exceptionnelle sur le théâtre, avec une collection quasi complète des pièces québécoises. Le public peut en devenir membre et emprunter ces merveilles,
à bas prix.

BIBLIOTHEQUE NATIONALE DU QUEBEC

475, DE MAISONNEUVE E, (514) 873-1100
WWW.BNQUEBEC.CA

Métro Berri-UQAM.
La section Actualité et nouveautés est ouverte tous les jours de 10h à minuit. Les étages sont accessibles du mardi au vendredi de 10h à 22h, samedi et dimanche de 10h à 17h. Il est nécessaire de s'abonner pour emprunter des documents et profiter des services. Certains documents peuvent être empruntés, d'autres doivent être consultés sur place. La nouvelle « Grande Bibliothèque » met à la disposition des usagers plus de 4 millions de documents : livres et microformes, mais aussi des revues, des CD, des DVD, des logiciels ...La bibliothèque réunit deux collections de premier plan : la Collection nationale et la Collection universelle. La Collection nationale rassemble tout ce qui s'est publié au Québec, tout ce qui a été publié sur le Québec ailleurs dans le monde et toutes les publications dont au moins l'un des créateurs est Québécois, et ce depuis 1764 ! Ce patrimoine impressionnant est offert en consultation libre. La Collection universelle de prêt et de référence permet aux usagers d'emprunter parmi des milliers de livres, d'enregistrements sonores et vidéos et plus encore. En ce qui concerne l'accès à Internet, les usagers peuvent l'utiliser depuis l'un des 400 ordinateurs publics ou depuis leur ordinateur personnel, la bibliothèque étant équipée d'un réseau sans fil.
L'aménagement des salles de lecture a été étudié pour que chacun puisse apprécier un calme et une luminosité idéals. Entre l'étude de deux ouvrages, on peut visiter une des expositions temporaires. Bref, la « Grande Bibliothèque» est sans aucun doute un endroit idéal pour étudier !

The News and New Releases section is open every day 10am-midnight. The floors are accessible Tues-Fri 10am-10pm, Sat-Sun 10am-5pm. It's necessary to subscribe to borrow items and benefit from the services. Certain items can be borrowed, while others must be consulted in the library.
The new "Grande Bibliothèque" provides users with more than 4 million items: books and microfiches, magazines, CDs, DVDs, CD-Roms... The library unites two top-notch collections: the National Collection and the Universal Collection. The National Collection includes every thing published in Quebec, everything published about Quebec elsewhere in the world, and everything in which at least one creator is Quebecois, dating back to 1764! This important heritage is also available for free on-line consultation. The Universal Collection for borrowing or reference enables users to borrow thousands of books, audio recordings and more. In terms of the Internet, users have access to 400 public computers or the use of their own personal computer, since the library is equipped with a wireless network.
The reading rooms have been arranged so one can appreciate the calm setting and ideal lighting. Between your perusal of two works, you can visit the temporary exhibitions. In short, the "Grande Bibliothèque" is without a doubt an ideal place for study!

NTS delivers an excellent quality education in acting, playwriting, directing, design, producing, technical direction, sound or lighting design, assistant directing and stage management. All under one roof you will discover all the programs necessary for theatre training, in French and English. Admission to the school requires that you avoid taking on outside job, even part-time. This way, a student can devote him/herself entirely to the training. The school is gifted with an exceptional theatre library, with an almost complete collection of Quebec work. The public can join and borrow these treasures for a reasonable fee.

CONSERVATOIRE LASSALLE / LASSALLE CONSERVATORY
1001, rue Sherbrooke E
(514) 288-4140
www.colass.qc.ca
Ce conservatoire a été la première école d'art dramatique et d'élocution française à

Montréal. Fondé en 1906 par les comédiens Louise et Eugène Lassalle, ce collège privé s'est spécialisé dans le domaine des arts, des communications et des médias. Il propose un programme préuniversitaire en Arts et Lettres avec divers profils : arts d'interprétation, communication et sciences de la parole. Ce programme offre un DEC aux étudiants qui apprécient le monde des communications et des arts et qui veulent une formation solide et polyvalente pour réussir des études universitaires dans le domaine. Le projet éducatif y est original parce que l'encadrement est fondé sur l'action et est assuré par des professionnels du monde des arts et des médias.
This conservatory was the first French school of dramatic arts and elocution in Montreal. Founded in 1906 by actors Louise et Eugène Lassalle, this private college specialises in arts, communications and media. It offers pre-university programmes in Arts and Litterature with various profiles: performance, communication and public speaking. This programme offers a DEC to students who value the domain of communications and the arts and who want a solid and well-rounded education in preparation for university studies in these disciplines. The educational approach is unique because it is based on practice and is delivered by professionals from the world of the arts and media.

INFORMATIQUE/ COMPUTER SCIENCES

Dans ces domaines, les nombreuses formations proposées varient tant au niveau des coûts que de la qualité de l'enseignement et des diplômes proposés (diplôme d'enseignement collégial, attestation d'études collégiales, certificat dans le cadre d'une formation continue, etc).
L'entrée sur le marché de l'emploi, très aisée il y a quelques années lors de l'engouement pour les nouvelles technologies, l'est moins aujourd'hui.
In this area, many programmes are available, varying in cost and quality of instruction, as well as in the type of diploma granted (DEC, AEC, Certificate in Continuing Education, etc.). Entry into the job market, while very easy a few years ago with the new technology craze, is less so these days.

CENTRE NATIONAL D'ANIMATION ET DE DESIGN (CENTRE NAD) / NATIONAL ANIMATION AND DESIGN CENTRE (NAD CENTRE)
335, boul. de Maisonneuve E/W, bureau 300,
(514) 288-3447
www.centrenad.com
Cette école de métier affiliée au cégep de Jonquière propose des formations spécialisées d'un an en animation 3D, en effets visuels pour le cinéma, la télévision, et pour l'animation, le design de niveaux, la modélisation et les textures/environnements en jeux vidéo. A l'entrée de ces programmes, les candidats issus de divers domaines artistiques sont triés sur le volet. Ils doivent présenter un dossier comprenant un portfolio de leurs œuvres, puis se soumettre à une entrevue. Les formations données par des professionnels du milieu sont axées sur la production de plusieurs travaux pratiques permettant à l'étudiant d'apprendre son métier et de développer un portfolio de qualité qu'il utilisera ultérieurement dans sa recherche d'emploi. À l'issue de chacun de ces deux programmes, les étudiants iront en stage de 8 à 18 semaines dans une entreprise de l'industrie choisie.
This school affiliated with the Cégep de Jonquière offers specialised training for one year in 3D animation, visual effects for film, television, and for animation, non-photo realistic render, matte painting and integration projects, and in texture/environment in video game design. For admission to these programs, candidates from a diversity of artistic disciplines are screened. They must present a portfolio of their work and undergo an interview. The training given by professionals is based on the production of a number of projects, enabling students to learn the craft and to develop a high quality portfolio to assist in finding employment. At the end of each of the programmes, students intern for 8-18 weeks for a company in the industry of their choice.

COLLÈGE CDI DELTA/CDI COLLEGE
416, boul. de Maisonneuve O/W, suite 700
(514) 849-4757 ou 1-800-961-4172
www.collegecdi.com
Ce collège privé propose dans sa filière technologique quatre diplômes en informatique : développeur de solutions E-business, gestionnaire en réseautique : spécialiste sécurité, programmeur-analyste orienté Internet et programmeur – analyste orienté site web. Selon un concept de flexibilité tout à fait unique, l'enseignement chez CDI est

personnalisé, et les horaires de cours très souples (matin ou après-midi ou soir). Une aide à la recherche d'emploi complète le panorama des services offerts.
This private college offers four diplomas in computer science: E-Business Solutions Developer, Network and Internet Security Specialist, Programmer Analyst/Internet Solutions Developer and Programmer Analyst/Web Developer. Based on a unique and flexible approach, CDI offers personalised instruction and the course schedules are very flexible (mornings, afternoons or evenings). A job placement service completes the spectrum of services offered.

COLLÈGE INTER-DEC/ INTER-DEC COLLEGE
2000, rue Sainte-Catherine O/W
(514) 939-4444 ou 1-800-363-3541
www.interdec.qc.ca
Ce collège privé dispose de trois secteurs distincts de spécialisation, dont un pour les passionnés d'imagerie numérique. Ils choisiront de passer une attestation d'études collégiales (AÉC) dans les spécialisations suivantes : création publicitaire imprimée, montage vidéo, animation 2D/3D, multimédia et jeux vidéos.
This private college specialises in three distinct areas, including one for those passionate about digital imaging. They offer AEC's in the following specialisations: Graphic Design, Video Editing, 2D/3D Animation, Media Design and Video Games.

COLLÈGE MARSAN / MARSAN COLLEGE
1001, de Maisonneuve E, 9e étage,
(514) 525-3030 ou 1-800-338-8643
www.collegemarsan.qc.ca
Cette école privée a conçu trois programmes distincts. Le premier forme des spécialistes de soutien informatique, le deuxième des experts en multimédia et production de vidéo numérique. Le troisième en photo : le collège Marsan est en effet, l'école de photographie la plus réputée de la métropole. Que ce soit au niveau de la photo artistique ou commerciale, la photo numérique ou l'infographie, l'étudiant apprendra à valoriser toute image lui passant entre les doigts. Des cours du soir, des programmes courts spécialisés sont possibles.
This private school has designed three distinct programmes. The first trains specialists in tech support, the second in multimedia and digital video production. The third is in photography: Marsan is actually the photography school with

the best reputation in the city. Whether the photography is artistic or commercial, digital or computer graphics, the photography student will learn how to get the most out of any image. Night courses and short specialised programmes are also available.

INSTITUT DE CRÉATION ET DE RECHERCHE EN INFOGRAPHIE (ICARI)/ INSTITUTE OF COMPUTER GRAPHICS CREATION AND RESEARCH (ICARI)
55, avenue Mont-Royal O/W
(514) 982-0922
www.icari.com
Icari propose des DEC et des AÉC dans le domaine de l'animation traditionnelle, du 3D et du multimédia. Depuis février 2005, ICARI dispense une formation gratuite dans le domaine des jeux électroniques ! Du dessin animé au multimédia, l'animation tant 2D, 3D que 3D Max 4, jusqu'au Softimage XSI, vous verrez vos oeuvres prendre une vie que même l'imaginaire le plus débridé ne saurait concevoir!
ICARI offers DECs and AECs in the areas of traditional animation, 3D and multimedia. Since February 2005, ICARI has offered free training in the area of electronic games! From

drawing animation to multimedia, or 2D, 3D, or 3D Max 4 animation to Softimage XSI, you will see works borne of even the most wild imaginations come to life!

INSTITUT SUPÉRIEUR D'INFORMATIQUE/ SCHOOL OF COMPUTER SCIENCE
255, Crémazie E, bureau 100,
(514) 842-2426
www.isi-mtl.com
Maintenant que les technologies de l'information se renouvellent sans cesse, la demande pour des techniciens qualifiés ne saurait se tarir, et ISI répond avec brio à la tâche. Un personnel hautement qualifié guide l'étudiant dans quatre programmes spécialisés : réseaux informatiques et télécommunications, programmation et conception de sites web, intégration de systèmes d'information et enfin réseaux informatiques et sécurité. Les stages font partie intégrante des études.
Now that information technologies are constantly changing, the demand for qualified technicians is higher than ever, and ISI is responding to the need with alacrity. A highly qualified staff guides students through 4 specialised programs: Information Networks and Telecommunications, Programming and Website Design, Information System Intergration and Information Networks and Security. The internships are an integral part of the programme.

INSTITUT TECCART/ TECCART INSTITUTE
3030, Hochelaga,
(514) 526-2501 ou 1-866-TECCART (832-2278)
www.teccart.qc.ca
Ce collège, qui propose des DEC et des AÉC, est reconnu depuis longtemps pour la qualité de ses programmes en électronique. Il a su rester fidèle à cette réputation et s'adapter aux nouvelles demandes du marché en combinant l'électronique à l'informatique. Désormais, ses champs de compétence sont l'instrumentation et l'automatisation, les télécommunications, les systèmes ordinés, la réseautique et l'informatique de gestion. Les étudiants trouvent facilement un emploi à la sortie.
This college, which offers DECs and AECs, has long been recognised for the quality of its electronics programmes. The college has adhered to this reputation and adapted to the new demands of the market by combining electronics and computer science. Meanwhile, its areas of competence include

Instrumentation and Automatisation, Telecommunications, Digital Systems Technology, IT Management and Network Management. Students easily find a job, once qualified.

MÉDIAS ET MULTIMÉDIAS / MEDIA AND MULTIMEDIA

Parallèlement aux programmes universitaires de journalisme et de cinéma, des écoles, pour la plupart privées, permettent de suivre des cours spécialisés dans un domaine bien précis : son, vidéo, communication écrite, etc. Ce sont, pour l'essentiel, des programmes pré-universitaires (à l'exception de l'INIS qui favorise l'entrée aux détenteurs d'un premier diplôme).

Parallel to the university programs in journalism and cinema, the schools, mostly private, offer specialised courses in more precise areas: sound, video, written communication, etc. Essentially, these are pre-university programs (except for the INIS, which prefers to admit students who already have a diploma).

INSTITUT NATIONAL DE L'IMAGE ET DU SON (INIS) / NATIONAL INSTITUTE OF IMAGE AND SOUND (INIS)
301, boul. de Maisonneuve E
(514) 285-1840
www.inis.qc.ca

Créé à la demande des professionnels, l'Institut national de l'image et du son a commencé ses activités en janvier 1996. L'INIS propose des formations en cinéma, télévision et médias interactifs qui mettent l'accent sur la pratique et la compréhension des réalités professionnelles. Les programmes de formation régulière s'étendent sur une période de 5 mois et s'adressent à des personnes dotées d'une formation universitaire ou d'une expérience professionnelle pertinente.
Les étudiants de chacune des disciplines (cinéma, télévision ou médias interactifs) se spécialisent soit en production, soit en scénarisation, soit en réalisation. Le programme « Média interactif » conviendra à ceux qui souhaitent concevoir et réaliser des

projets sur divers supports incluant le web, la télé, le cinéma, les produits ludoéducatifs, les jeux et simulations, le 3D...
L'INIS est très réputé dans le milieu des professionnels du cinéma et de la télévision. D'ailleurs, les formateurs de l'INIS sont tous des professionnels actifs. Le large réseau qui en découle favorise l'intégration des élèves dans ce milieu restreint.
A surveiller : l'INIS met actuellement en place une spécialisation en documentaire (formations aux métiers de scénariste, réalisateur et producteur).
Created due to a demand by professionals, the National institut of image and sound started its activities in January 1996. The INIS offers instruction in film, television, and interactive media, with an emphasis on the practice and understanding of the professional background. The training programs regularly last 5 months and are aimed at students who already have a university degree or some related professional experience.
Students in each discipline (film, television, interactive media) specialise either in production, screenwriting or directing. The "Interactive Media" program will suit those who want to design and produce projects in many media such as the Web, television, film, edutainment, games and simulations, 3D...
The INIS is highly regarded by film and television professionals. All the instructors at INIS are working professionals. The large network that results helps students integrate into this competitive industry.
Keep watch, because INIS is developing a specialisation in documentary (training in screenwriting, directing and producing).

CONSERVATOIRE LASSALLE / LASSALLE CONSERVATORY
1001, rue Sherbrooke E
(514) 288-4140
www.colass.qc.ca
Cette école privée a su bien s'adapter à la demande du marché du travail en créant des AÉC en communication et médias, technique vidéo, relations publiques et animation radiophonique. On y acquiert les bases théoriques et pratiques pour affronter le monde de la télévision et de la radio, que ce soit en tant que journaliste, monteur ou relationniste.
This private school has adapted well to the demands of the job market by creating AECs in communications and media, video, public relations and wireless production. You will acquire a theoretical base as well as practical skills to confront the world of television and radio as a journalist, editor, or publicist.

INSTITUT GRASSET/ GRASSET INSTITUTE
220, rue Fairmount O / W
(514) 277 6053
www.institut-grasset.qc.ca
L'institut Grasset délivre des AÉC dans divers domaines dont la production et l'animation pour la télévision et le cinéma. Bref, bien utiles à ceux qui voudront rester derrière la caméra et se spécialiser dans les technologies des médias ! Plus précisément, parmi les programmes d'AÉC, notons celui en production télévisuelle et cinématographique, la production multimédia (réalisation de sites web, DVD, etc), l'animation 3 D et effets spéciaux (pour la télévision, le cinéma, le multimedia) et enfin composition et effets spéciaux pour vidéo numérique. Pour ce dernier programme, il faut être titulaire d'un des AÉC précédemment cités.
The Institut Grasset offers AECs in many fields in television and cinema creation and production. Very useful for those who like to stay behind the camera and specialise in technology and media! The AECs offered include television and film production, multimedia production (web design, DVD design, etc.) 3D animation and special effects (for television, film, multimedia) and finally composition and special effects for digital video. For this last programme, you have to already hold one of the AECs already mentioned.

ÉCOLE DE RADIO ET TÉLÉVISION PROMÉDIA / PROMEDIA SCHOOL OF RADIO AND TELEVISION
1118, rue Sainte-Catherine O/W, bureau 700
(514) 861-8951
www.ecolepromedia.com
Cette école de journalisme parlé a formé beaucoup de personnalités du monde des communications. On se spécialise en radio ou en télévision, dans un cours de 200 heures. L'accent est mis sur l'élocution, la respiration et la pose de voix, de même que sur les diverses composantes de la réalité radio et télévisuelle. Les cours ont lieu deux soirs par semaine.
This much talked about journalism school has trained many personalities in the world of communications. The school specialises in radio and television, in programmes lasting 200 hours. The focus is on elocution, breathing and voice work, as well as on the many components necessary for a career in radio

and television. The courses are offered two evenings a week.

ÉCOLE DU SHOW BUSINESS / SCHOOL OF SHOW BUSINESS

5505, boSaint-Laurent, bureau 3010,
(514) 271-2244 – 1-877-271-2244
www.esb.qc.ca

L'école du show business a pour objectif de former du personnel technique compétent pour les entreprises du secteur culturel, notamment pour le cinéma et la télévision. L'apprentissage est dispensé par une équipe d'enseignants actifs dans le milieu et reconnus pour leur expertise professionnelle. Les élèves choisissent parmi un des programmes suivants : agent de commercialisation en développement artistique, gestion de plateaux de cinéma et de télévision ou techniques de production d'événements culturels et corporatifs.

The École du show business aims to train technical staff for businesses in the cultural sector, mostly in film and television. The instructors are professionals working in the industry and recognised for their expertise. Students choose from among the following programs: artistic development marketing agent, set management for cinema and television, and production techniques for cultural and corporate events.

INSTITUT TRÉBAS/ TREBAS INSTITUTE

550, Sherbrooke O/W, 6e étage
(514) 845-4141
www.trebas.com

L'Institut Trébas « surfe » sur les nouvelles formes de communication visuelle et sonore. C'est probablement le seul institut montréalais à offrir une formation pour les DJ ! Les élèves pourront choisir de suivre un cours en traitement de sons et conception sonore ou enregistrement du son et sonorisation. Ces deux programmes ainsi que celui de gérance d'artiste de musique populaire permettent d'obtenir un AÉC. Des stages en entreprises sont inclus dans les divers programmes.

Trebas Institute "surfs" on new modes of visual and aural communication. It's probably the only institution in Montreal offering courses for DJs! Students can choose to take courses in the Sound Design or Sound Recording & Live Sound programmes. These two programmes, as well as Music Business Administration and Film & Television Production lead to an AEC diploma. Internships in companies are included in the various programmes.

MUSITECHNIC
888, de Maisonneuve E,
tour 3, 4e étage,
(514) 521-2060
www.musitechnic.com
Métro Berri-UQAM
Créé sur mesure, le programme "Son, musique et techniques numériques appliquées" vise à former des professionnels aptes à créer, développer et réaliser des trames sonores pour des productions audio et audiovisuelles. Bref, la technique mise au service de la musique pour illustrer jeux vidéo, séries télés, films ... L'architecture de l'école étonne par son style hautement futuriste. On apprécie les mille petits soins chouchoutés aux étudiants et, notamment, les «tuyaux» apportés aux étudiants étrangers pour obtenir leur visa. Musitechnic s'est taillée une référence nationale et internationale, ce qui facilite le placement des diplômés.
Made to measure, the program "Applied Digital Techniques for Sound and Music" aims to train professionals to create, develop and produce sound tracks for audio and audiovisual productions. You will learn how to create music to accompany video games, television series, films... The school's highly futuristic architecture is astounding. Students will appreciate the help and the " tips" that help foreign students obtain their visas. Musitechnic has a national and international list of references, which faciliates placing graduates.

COLLEGE SALETTE / SALETTE COLLEGE
418, Sherbrooke E
(514) 388-5725
www.collegesalette.qc.ca
Pour les créatifs, qui veulent allier leur goût pour l'innovation à l'édition papier, web, multimedia ! Les formations courtes en communication graphique de ce collège privé débouchent sur l'obtention d'un AÉC. Plusieurs spécialités sont proposées : concepteur infographiste, concepteur multimedia et illustrateur publicitaire.
For creative types who want to explore their inclination for innovation and print, web and multimedia publishing! The short-term programmes in graphic communications at this private college lead to an AEC diploma. Many specialisations are offered: graphic designer, multimedia designer and advertising illustrator.

COLLÈGES MEMBRES DE L'AEFE

[AGENCE D'ENSEIGNEMENT DU FRANÇAIS À L'ÉTRANGER]

COLLÈGE STANISLAS / STANISLAS COLLEGE
780, boul. Dollard,
(514) 273-9521
www.stanislas.qc.ca
Métro Outremont
Situé dans l'arrondissement d'Outremont, le collège Stanislas est le plus grand collège français en Amérique du Nord. Il fait partie du réseau des lycées français et prépare les élèves au baccalauréat français pour les séries littéraire, scientifique et sciences économiques et sociales. Adapté aux exigences du Québec, ce diplôme, reconnu dans le monde entier, offre aux jeunes bacheliers l'accès aux meilleures universités canadiennes, américaines et européennes. Les cours sont offerts d'août à juin, et on y étudie de la prématernelle jusqu'à la Terminale dans une ambiance familiale. Avec des taux de réussite exceptionnels au bac, qui frisent les 100%, le collège Stanislas relève tous les défis. Un établissement de premier choix pour les familles qui désirent offrir à leurs enfants un enseignement de très haute qualité.
Located in the Outremont district, Collège Stanislas is the biggest French college in North America. It is part of the network of French lycées and prepares students for the French Baccalauréat in literature, science, economics and social sciences. Adapted to Quebec requirements, this diploma, recognised all around the world , offers to young students access to the best Canadian, American and European universities. Courses are offered from August to June, and students may stay from nursery school until their final year of the « Bac ». in a family atmosphere. With the high rate of success in the Baccalauréat program, which grazes 100%, Collège Stanislas meets all challenges. An institution of the first order for families who wish to provide their children with instruction of the highest quality.

COLLÈGE INTERNATIONAL MARIE-DE-FRANCE / MARIE-DE-FRANCE INTERNATIONAL COLLEGE
4635, chemin Queen Mary
(514) 737-1177
www.mariedefrance.qc.ca
Métro Snowdon et métro Côte-des-neiges, bus 51,165 et 535.

Le Collège international Marie-de-France se distingue par son approche laïque et son ouverture à la culture locale et internationale. Leur projet scolaire à pédagogie française (de la Maternelle à la Terminale, série littéraire, sciences économiques et sociales, et scientifique), mène à l'obtention de diplômes français (diplôme national du Brevet et Baccalauréat). L'excellence de leurs résultats (en 2005, 98% au Baccalauréat et 60 % de mentions) permet à leurs étudiants d'intégrer les meilleures universités européennes et nord américaines. Possibilité de suivre des cours d'anglais, d'italien, d'espagnol. Dans le domaine des arts, les élèves peuvent suivre des ateliers d'expression musicale, apprendre la chorégraphiques, monter des spectacles.
The Collège international Marie-de-France is distinguished by its secular approach and its openness to local and international culture. Their academic approach to French education (from kindergarten to final year, in literature, economics and social sciences, and science) leads to French diplomas (diplôme national du Brevet and Baccalauréat). Their excellent results (in 2005, 98% in the Baccalauréat and 60 % with Honours) enable students to enter the best universities in Europe and North America. Students can follow classes of English, Italian, Spanish. In the arts, students can take workshops in music, choreography and producing shows.

SOINS INFIRMIERS / NURSING

ORDRE DES INFIRMIÈRES ET INFIRMIERS DU QUÉBEC / QUEBEC ORDER OF NURSES
4200, boul. Dorchester O/W
(514) 935-2501 ou 1-800-363-6048
www.oiiq.org
L'ordre des infirmières et infirmiers du Québec relaie toute l'information nécessaire pour accéder à la profession. On exerce généralement après un bac en sciences infirmières mais un DEC peut être suffisant. A Montréal, deux universités (McGill et l'Université de Montréal) ainsi que 9 collèges proposent la formation. Le site internet de l'OIIQ fournit toutes les adresses.
L'ordre des infirmières et infirmiers du Québec (The Quebec Order of Nurses) passes on all the information necessary to become a nurse. Generally, you need a Bachelor's in Nursing, but a DEC is also sufficient. In Montreal, two universities (McGill and the University of Montreal), as well as 9 colleges offer training. The website of the OIIQ has all the information.

TOURISME ET HÔTELLERIE/ TOURISM AND HOSTELRY

COLLÈGE APRIL-FORTIER
L'École du voyage/ The travel school
1001, Sherbrooke E, bureau 350
(514) 878-1414 ou 1-888-878-1414
www.april-fortier.com
La plus importante école privée du Québec spécialisée dans la formation de personnel qualifié dans l'industrie du voyage !
Le Collège April-Fortier possède une réputation enviée par la qualité de ses professeurs toujours actifs dans l'industrie et ses outils à la fine pointe de la technologie. La formation de niveau collégial se caractérise par: sa courte durée de cinq mois, en français ou en anglais, ses horaires flexibles de jour, de soir ou de fin de semaine. Les inscriptions se font en tout temps grâce aux nombreuses sessions offertes pendant l'année. Les diplômés du Collège April-Fortier peuvent occuper des emplois variés autant au Québec qu'à l'international ; par exemple dans les agences de voyages, les tours opérateurs, les compagnies aériennes, les offices de tourisme, les centres d'appels et bien d'autres. Si vous cherchez une carrière excitante dans le monde du voyage, le Collège April-Fortier, est là pour vous !
The leading private school in Quebec specializing in the training of qualified personnel in the travel industry.
College April-Fortier has an enviable reputation thanks to its teaching staff, all currently active in the travel industry, and its determination to introduce the latest technologies in the teaching of travel-related courses. This college-level program offers several advantages; the complete course can be completed in only 5 months. Courses are offered both in French and English, and may be taken days, evenings, and on Saturdays. Registrations are on-going thanks to the year-round sessions being offered. Graduates of College April-Fortier can embark on a variety of careers available both here in Quebec and abroad. These careers are available by working at tour operators, travel agencies, airlines, tourist boards, and other travel-oriented companies. If you are seeking a

FORMATIONS DIVERSES/ MISCELLANEOUS INSTRUCTION

CENTRE DE LECTURE RAPIDE (CLR) / SPEED-READING CENTRE (CLR)
5211, Clanranald
(514) 484-9962
www.clrdirect.com
Quel étudiant n'aura jamais ressenti le besoin d'une technique lui permettant de venir à bout des montagnes de textes à lire pour le lendemain ? Les techniques enseignées par cette école visent à agrandir le champ de vision, à perdre en fait le mot à mot qui sied si mal à une lecture industrielle. Dès les premières séances assimilées, on remarque d'appréciables progrès. Même les sceptiques seront confondus ! Et qui dit rapidité accrue ne doit pas préjuger que l'on délaisse la compréhension du texte, loin de là.
What student hasn't wished for a way to scale to the top of the mountain of texts to read for the next day? The techniques taught by this school aim to expand the field of vision, and to lose the word-to-word reading that so poorly serves serious reading. As soon as the first few lessons are assimilated, you'll notice progress. Even sceptics will be surprised! And who says that increased speed reduces comprehension? Far from it, in fact.

COLLÈGE DE L'IMMOBILIER DU QUÉBEC / QUEBEC REAL-ESTATE COLLEGE
600, chemin du Golf,
Ile des Sœurs
1-888-762-1862
www.collegeimmobilier.com
Alors que le secteur de l'immobilier s'enflamme, pourquoi ne pas suivre une formation d'agent ? Ce collège privé offre un programme détaillé sur la réalité de l'immobilier, avec tous les trucs du métier en supplément. C'est la référence dans son domaine. Il est possible d'opter pour une formation à distance.
While the real estate market is on fire, why not take a course to become an agent? This private college offers a detailed programme covering the ins and outs of real estate, with all the tricks of the trade. It's the point of reference for the industry. It's possible to study long distance.

COLLÈGE DE SECRÉTARIAT MODERNE (CSM) / MODERN SECRETARIAL COLLEGE (CSM)
800, de Maisonneuve E, 5e étage,
(514) 932-1122
www.collegecsm.com
Que serait un bureau sans son contingent de secrétaires dévouées et surtout compétentes ? Au CSM, on forme ces perles depuis plus de 30 ans. Et près de 25 000 diplômes plus tard, sa réputation n'est plus à faire. Trois spécialisations sont offertes : secrétariat médical, juridique, ou encore comptable. Diplôme obtenu au bout d'un an. Fait à noter: l'entrée au CSM s'effectue à longueur d'année, et non au début des semestres conventionnels.
Who would have an office without a staff of devoted and above all competent secretaries? The CSM has trained these pearls for 30 years. Almost 25 000 graduates later, its reputation is secure. Three specialisations are available to become a medical, judicial or accounting secretary. After a year of study, you receive your diploma. Please note: you can put your names down for classes all year long.

ÉCOLE NATIONALE DU MEUBLE / NATIONAL SCHOOL OF FURNITURE & CARPENTRY
5445, de Lorimier,
(514) 528-8687
www.ecolenationaledumeuble.ca
Un programme collégial idéal pour les manuels et les créatifs ! Depuis les années 80, l'École du meuble permet d'explorer les techniques d'ébénisterie, de dessin et de sculpture sur bois. Aujourd'hui, l'équipe pédagogique prend en compte la modernisation des équipements et l'apport primordial de l'informatique dans les techniques de création de meubles.
The ideal college program for those who are creative and dextrous! Since the 80s, the École du meuble has enabled students to explore carpentry, design and wood sculpture. Today, the teaching staff take into account modern equipment and the encroachment of computers into the creation of furniture.

INSTITUT TECHNIQUE AVIRON / AVIRON TECHNICAL INSTITUTE
5460, Royalmount,
(514) 739-3010
www.avirontech.com
Une école de métiers existant depuis 1937, et offrant des programmes aussi variés que la mécanique automobile, l'électricité de

construction, le dessin industriel, la réparation d'appareils électroniques audio/vidéo et le soudage/montage. Les cours se donnent le jour ou le soir, et même par correspondance.
A trade school in existence since 1937, offering programs as varied as Automobile Mechanics, Construction Electricity, Security, Industrial Drafting, Electronics Audio/Video Equipment Repair and Welding/Fitting. Courses are offered day and evening, and even through correspondence.

COLLEGE O'SULLIVAN / O'SULLIVAN COLLEGE

1191, de la Montagne,
(514) 866-4622
www.osullivan.edu

Ce collège privé délivre des DEC (3 ans d'études) et AÉC (de 8 à 12 mois) adaptés au marché de l'emploi. La formation est bilingue. On a le choix parmi les programmes suivants : gestion commerciale et commerce international, techniques juridiques, techniques de bureau, gestion financière informatisée, commerce international, assurance de dommages, technologie des médias et plateau de tournage.
This private college grants DECs (3 years of study) and AECs (8-12 months of study) adapted to the job market. The training is bilingual. You have the choice of the following programs: Business Management & International Trade, Paralegal Technology, Internet Programming & Application Development, Network Management, Office Systems Technology, Computerized Financial Management, International Trade, Media Technology for Film and Television Production Sets and Medical Records.

ACADÉMIE DES ARTS ET DU DESIGN / ACADEMY OF ARTS & DESIGN

1253, McGill College, 10e étage.
(514) 875-9777
www.aadmtl.com

Les AÉC de cette académie privée valident un programme de 12 à 14 mois en design de mode, commercialisation de la mode, design d'intérieur, design graphique, design publicitaire et web medias. Il est possible de suivre les cours à temps complet ou partiel, le jour ou le soir. Tous les cours sont offerts en français en en anglais.
The AECs offered by this private academy include 12-14 month programs in Fashion Design, Fashion Merchandising, Interior Design, Computer Graphics and Design and Advertising Design and Web Media. It's possible to take courses full time or part time, day or night. All the courses are offered in English and French.

© Tyler Olson - FOTOLIA

NOTRE ÉQUIPE S'EST ATTACHÉE À DÉNICHER LES MEILLEURS COINS POUR MANGER ENTRE DEUX COURS, POUR SE DÉTENDRE AUTOUR D'UN GÂTEAU ET BOIRE UN CAFÉ DANS UN CADRE SYMPA. VOUS TROUVEREZ LES ADRESSES DE NOS COUPS DE CŒUR, SUR LES GRANDS AXES OU DANS DES RECOINS UN PEU PLUS SECRETS.

OUR TEAM RELENTLESSLY SOUGHT OUT THE BEST PLACES TO EAT BETWEEN CLASSES AND RELAX WITH A PIECE OF CAKE AND A CUP OF COFFEE IN A COMFORTABLE ATMOSPHERE. YOU'LL FIND THE ADDRESSES OF OUR FAVOURITES, ON THE MAIN STREETS OR IN THE QUIET CORNERS OF THE CITY.

QUARTIER LATIN/ LATIN QUARTER

CAFE DE LA PAGODE

1212, Saint-Denis
(514) 499-8575

Menu midi à 6,25 $ (entrée, plat, dessert et taxes inclus), sandwich à partir de 2,50 $. Ouvert du lun au ven de 11h à 18h, et le sam de 11h à 14h. Fermé le dimanche.

L'endroit parfait pour un repas un peu exotique, complet et vraiment pas cher ! Pour 6,25 $ on vous sert un pâté impérial ou une soupe, un plat asiatique, un dessert et un thé. Le service est rapide et efficace. Des sushis et des sandwichs divers sont également préparés tout au long de la journée. Autant dire qu'à ce prix là et devant l'UQAM il vaut mieux arriver à l'avance pour avoir une place.

Lunch menu for $6.25 (starter, main course, dessert and taxes included), sandwich starting at $2.50. Open Mon-Fri 11am-6pm, Sat 11am-2pm. Closed Sundays.

The perfect place for a complete meal with a hint of the exotic, and cheap! For $6.25, you get an imperial roll or a soup, an Asian main course, a dessert and tea. The service is quick and efficient. An assortment of sushi and sandwichs are also available during the day. Given the prices and the location in front of UQAM, get there early to beat the rush!

COMMENSAL

1720, Saint-Denis
(514) 845-2627

Ouvert du lun au sam à partir de 11h, et le dim à 10h. Ferme du dim au mer à 22h30 et jeu, ven et sam à 23h.

Avis aux étudiants du centre-ville, ainsi qu'aux

végétariens et à leurs alliés, le Commensal offre un buffet végétarien (au poids) du tonnerre. Comme on se sert soi-même, c'est idéal quand on dispose d'un temps limité. Desserts, gâteaux et fruits frais sont succulents ; le décor est élégant et l'ambiance décontractée. De plus - et ceci n'est pas crié sur tous les toits - un rabais de 10 % est accordé sur présentation d'une carte étudiante officielle.
Open Mon-Sat at 11am, and Sun at 10am. Closed Sun-Wed 10:30pm, Thu-Sat 11pm. Attention students living downtown, vegetarians and those quasi-vegetarians, Commensal offers a vegetarian buffet (by weight) like you have never seen. Since it's self-serve, it's great when you're in a rush. Desserts, cakes and fresh fruit are succulent; the décor is elegant and the ambience relaxed. Plus—and this is not yelled from the rooftops—you get a 10 % student discount when you show your official student card.

L'UTOPIK
552, Sainte-Catherine E
(514) 844-1139
www.lutopik.org
Angle Labelle. Ouvert tous les jours de 7h à 1h du matin.
A l'heure où nous imprimons ces pages, le site Web de l'Utopik ouvre sur les mots 'Amour et bouffe' ! Quelle bonne façon de résumer ce lieu, où l'engagement politique pour un monde plus vert et une conscience sociale élargie côtoient de bons petits plats végétariens. Les lasagnes, sandwichs au tofu ou au pesto, accompagnés de salades, coûtent autour de 7 $. Les diverses salles de l'Utopik vous paraîtront chaleureuses. En hiver, asseyez-vous à côté du poêle et lisez un des nombreux livres ou revues mis à votre disposition.
Corner Labelle. Open every day 7am-1am.
At the time we went to print, Utopik's website opened with the words "Love and Food!" What a good way to sum up this place, where the political commitment to a greener world and an expansive social conscience accompany nice vegetarian dishes. The lasagna, tofu or pesto sandwiches, with side salads, cost around $7. The many rooms of Utopik are warm and inviting. In winter, sit by the stove and read one of the many books or magazines at your disposal.

RESTO PUB SAINT SULPICE
345, Émery
(514) 842-1441
Angle Saint-Denis. Ouvert tous les jours, midi et soir.
Le célèbre pub de la rue Saint-Denis a diversifié ses activités en inaugurant ce petit resto, fort propre et agréable. Niveau gastronomie, vous choisirez entre le burger, la pizza ou le hot dog, servis en trio avec boisson ou frites pour moins de 10 $.
Corner Saint-Denis. Open every day, lunchtime and dinnertime.
The famous pub of Saint-Denis Street has diversified its activities by opening this little resto, very neat and pleasant. The gastromony includes burgers, pizza and hot dogs, served in a trio with a drink or fries for under $10.

THÉ MATÉ
1639 A, Saint-Denis
(514) 227-1432
Ouvert tous les jours de 10 h30 à 22h en hiver, et de 9h à minuit en été. Remise de 10 % pour les étudiants. Spéciaux du midi à partir de 8 $.
Besoin d'un bon sandwich avec un thé parfumé ? Envie d'un gâteau dans un cadre haut en couleurs ? Alors, c'est à Thé Maté qu'il faut aller ! Vous profiterez d'une musique du monde agréable et d'une sélection de plus de 30 variétés de thés. En été, profitez de la terrasse à l'arrière.
Open every day 10:30am-10pm in winter, and 9am-midnight in summer. 10% discount for students. Lunch specials starting at $8.
Need a good sandwich with perfumed tea? Craving a colourful cake? To Thé Maté must you go! You'll enjoy world music and a selection of over 30 kinds of tea. In summer, enjoy the back terrace.

YUAN
400, Sherbrooke E
(514) 848 0513
Métro Sherbrooke, angle Saint-Denis. Ouvert de 10h30 à 22h30 tous les jours. Midi, spéciaux autour de 8-10 $. Le soir, compter 10-15 $ le repas. Pas de permis d'alcool.
Yuan est un petit nouveau parmi les restaurants taiwanais de Montréal. On y déguste une « cuisine végétarienne créative », d'excellente qualité. Le soir, l'entrée est composée d'algues, de tofu grillé et d'une petite salade de chou. Très original et raffiné ! Les plats, soigneusement présentés sont composés, pour la plupart, de tofu ou de protéines de légumes texturés accompagnés de légumes sautés et de riz. Le tofu Général Tao, accompagné de riz brun et d'un rouleau de printemps, est très bon. Le service, assuré par un personnel souriant, est irréprochable. Sérénité garantie dans le salon de thé, au fond du restaurant.

Open every day 10:30am-10:30pm. Lunch specials around $8-10. For dinner, figure $10-15 a meal. No alcohol permit.
Yuan is a newcomer among the Taiwanese restaurants in Montreal, presenting high quality "creative vegetarian cuisine." For dinner, the first course consists of algae, grilled tofu and a small cabbage salad. Very refined and original! The dishes, carefully presented, comprise for the most part tofu or textured vegetable protein accompanied by sautéed vegetables and rice. The General Tao tofu, served with brown rice and a spring roll, is very good. The service of a smiling staff, is irreproachable. Serenity is guaranteed in the tea room at the back of the restaurant.

QUARTIER DES UNIVERSITÉS ANGLOPHONES / NEAR THE ENGLISH SPEAKING UNIVERSITIES

BASHA
1202, Sainte-Catherine O/W
(514) 393-3970
Métro Guy-Concordia. Ouvert de 11h à minuit. Entre 5 et 8 $ le repas.
Vous comprendrez dès votre passage par l'incroyable escalier mécanique que vous arrivez dans un lieu exotique ! Ce restaurant libanais est le voyage le moins cher que vous trouverez vers le Proche-Orient. Choisissez votre repas parmi une petite carte bien garnie : falafel, couscous, shish taouk, kebab. Pour ceux et celles qui surveillent leur ligne, un menu salade vous conviendra. Les prix sont petits, comme on les aime !
Guy-Concordia Metro. Open 11am-midnight. Meals $5-8.
You'll understand as soon as the escalator delivers you that you have arrived in an exotic place! This Lebanese restaurant is the cheapest trip you'll find to the Middle East. Choose your meal from a well-stocked menu: falafel, couscous, shish taouk, kebab. For those who are watching their waistlines, the salad menu is perfect for you. The prices are small, just like we like 'em!

LOLA ROSA
545, Milton
(514) 287 9337
Métro Peel. Idéal pour les étudiants de McGill. Ouvert de 11h30 à 21h la semaine et à partir de 10h la fin de semaine. Le plat, très copieux est à 10,95 $.
Ça sent bon les épices et l'exotisme dans ce petit local très gai, très coloré. Au menu, des plats végétariens, très goûteux. Le chef s'est inspiré de recettes du monde entier pour composer la carte : chili, quesadillas, burritos. Les saveurs sont délicatement relevées, un délice !
Peel Metro. Perfect for McGill students. Open weekdays 11:30am-9pm and weekends starting

Crédit photo : Université McGill, Montréal.

at 10am. The plentiful mains start at $10.95.
This little cheerful, colourful spot smells of spices and the exotic. On the menu are vegetarian dishes, very tasty. The chef is inspired by recipes from around the world, as the menu testifies: chili, quesadillas, burritos. The subtle flavours will delight you!

CAFÉ L'ÉTRANGER
680 Ste-Catherine O/W,
au sous-sol / on the ground floor
(514) 392-9016
Métro McGill. Ouvert tous les jours de 9h à 23h sauf jeu-ven-sam jusqu'à minuit. Ouverture à 11h30 les fins de semaine. Menu du jour entre 8,95 et 10,95 $. A la carte de 10 à 15$.
Un des endroits préférés des gourmets capricieux. Le menu gargantuesque est un véritable livre. Aussi, on préfère feuilleter la carte en compagnie d'un cocktail en apéro (quoique le choix de la consommation soit aussi élogieux). Le choix est très international : pâtes, plats d'inspiration chinoise…
McGill Metro. Open every weekday 9am-11pm, Thurs-Sat until midnight. Open 11:30am weekends. Daily menu $8.95-10.95. A la carte $10-15.
One of the coveted spots for daring gourmets. The huge menu is a book. We suggest you flip through the menu with a cocktail as an aperitif (since the drink menu is extensive too). The choice is international: pasta, Chinese-inspired cuisine…

CARLOS ET PEPE
1420, Peel
(514) 288-3090
Métro Peel. Ouvert du lun au jeudi de 11h30 à 1h du matin, le vendredi et le samedi de 11h30 à 3h et le dimanche de 11h30 à minuit et demi. Comptez moins de 10 $ pour un plat.
Probablement le tex-mex préféré des étudiants du quartier en raison des prix vraiment très sages ! Mais le pendant à cette popularité est la difficulté à se trouver une place. On vous conseille de réserver. Au menu, on retrouve les grands classiques : burritos à toutes les sauces, enchilladas et tacos. Mais si vous voulez tenter quelque chose de plus original, optez pour le poulet à la mangue. Après le repas, profitez de l'ambiance chaleureuse pour boire une dernière de ces délicieuses margaritas à l'étage. C'est en haut que la fête se passe, où l'on se déhanche au son d'une bonne salsa !
Peel Metro. Open Mon-Thurs 11:30am-1am, Fri-Sat 11:30am-3am, Sun 11:30am-12:30am. At least $10 a plate.
Probably the favourite tex-mex resto for students in the area because of the excellent prices! But because of its popularity, it's often hard to find a seat. Reservations recommended. On the menu, you will find the classics: burritos with all kinds of sauce, enchilladas and tacos. But if you want to try something a little different, try the chicken with mango. After the meal, enjoy the warm atmosphere and a final delicious margarita on the second floor.

The party is upstairs, where your hips will start swaying to the strains of salsa!

CASA 3 AMIGOS
1657, Sainte-Catherine O/W
(514) 939-3329
Métro Guy-Concordia. Ouvert tous les jours de 11h30 à minuit et jusqu'à 1h ven et sam. Jour 8-10. Soir 15-20$.
Cette cuisine tex-mex ne cache pas son caractère épicé ! Des croustilles de maïs accompagnées d'une sauce salsa maison sont servies en entrée en remplacement de la corbeille de pain. Le mercredi, on succombe aux spéciaux sur les fajitas. Sinon, l'assiette drapeau mexicain fait l'unanimité : trois enchilladas (tortillas fourrés d'épinard, de fromage et de poulet) disposées autour d'une salade, purée d'avocat, riz à la mexicaine accompagné de haricots frits. La crème sûre sert à calmer les papilles enflammées. Hamburgers et steak sont aussi au menu. Le service est efficace et discret, permettant à la fête de mieux retentir.
Guy-Concordia Metro. Open every day 11:30-midnight, and until 1am Fri-Sat. Lunch $8-10, Dinner $15-20.
This tex-mex cuisine does not hide its spicy nature! Corn chips with the house salsa replace the bread basket as a starter. On Wednesdays, succumb to the fajita special. Or try the popular Mexican Flag: three enchilladas (tortillas stuffed with spinach, cheese and chicken) arranged around a salad, guacamole, Mexican rice and fried beans. Sour cream will calm your flaming tastebuds. The menu also includes hamburgers and steak. The service is efficient and discreet, allowing the party to rage on.

LE COMMENSAL
1204, McGill College
(514) 871-1480
Ouvert tous les jours de 11h30 à 22h.
Lire les commentaires dans la section 'Quartier latin'.
Open every day 11:30am-10pm.
See the blurb in the "Latin Quartier" section.

PEEL PUB
1400, Peel ou/or 1107, Sainte-Catherine O/W
(514) 844-7296
Ouvert tous les jours de 8h à 3h du matin.
Bienvenu au temple des bas prix ! Le Peel Pub doit être essayé au moins une fois ! Soit vous adorerez cette grande taverne où l'on mange pour 4,29 $, verre de Molson inclus, soit vous n'adhérerez pas du tout à la philosophie du pas cher. Le pub peut accueillir plus de 200 personnes : autant dire qu'il est souvent bondé ! Les sportifs apprécieront les grands écrans diffusant les matchs de toutes sortes. Quant aux fêtards, ils sauront trouver la piste de danse sans difficulté !
Open every day 8am-3am.
Welcome to the temple of low prices! The Peel Pub must be tried at least once! Either you will adore this huge tavern where you can eat for $4.29, glass of Molson included, or you will leave, unimpressed by the philosophy of cheap. The pub can hold 200 people: needless to say, it's often overflowed. The sportsfans will appreciate the big screens showing all kinds of sports events. The partiers will find the dance floor, no problem.

SOUPES ET NOUILLES
1871, Sainte-Catherine O/W
(514) 933- 0531
Ouvert tous les jours de 11h à 1h du matin. Menu midi à 7,25 $ incluant une entrée, un rouleau de printemps et un plat. A la carte, plats entre 2 $ et 8,95 $.
Contrairement à ce que son nom indique, on ne mange pas que des soupes et des nouilles ! Ces deux aliments demeurent la base de nombreux plats mais on peut manger du riz, de la viande, des fruits de mer. Des plats de nombreuses régions d'Asie figurent au menu : Thaïlande, Vietnam, Canton, Szechuan et Japon ! Le poulet général Tao est très populaire.
Open every day 11am-1am. Lunch menu $7.25 including a starter, spring roll and main course. A la carte dishes $2-8.95.
In contrast with the name, you can get more here than just soup and noodles! These two dishes are the basis of many dishes, but you can get rice, meat and seafood too. Numerous dishes from different regions in Asia—Thailand, Vietnam, Canton, Szechuan and Japon—figure prominently on the menu! The General Tao chicken is very popular.

QUARTIER DE L'UNIVERSITÉ DE MONTRÉAL / NEAR L'UNIVERSITÉ DE MONTRÉAL

BISTRO OLIVIERI
5219 Côte-des-Neiges
(514) 739-3303
Métro Côte-des-Neiges. Carte 7 $-15 $, ouvert du lun-ven de 9h à 22h, sam-dim de 10h à 17h.
Au fond d'une mignonne librairie du même nom, ce bistro réalise le plus purement du monde le mythe du café intello. Des étudiants et des personnages à bouilles de grands auteurs viennent y passer le temps. La nourriture de l'esprit ne suffisant pas à forcir le corps, la cuisine propose un menu santé, au parfum français, gravé sur tableau noir. Le service et les plats correspondent à l'endroit par leur subtilité sans prétention. La serveuse apporte sur la table une grosse boule de linguine au saumon fumé qu'elle accompagne de parmesan et de son langage tout fleuri. Les causeries que la librairie tient chaque semaine attirent une certaine clientèle qui fourmille autour d'un café et d'un copieux morceau de gâteau.
Etablissement recommandé par Isabelle Chartier, étudiante à l'Université de Montréal en histoire de l'art.
Côte-des-Neiges Metro. Menu $7-15. Open Mon-Fri 9am-10pm, Sat-Sun 10am-5pm.
At the back of a charming bookstore of the same name, this bistro incarnates the myth of the intellectual's café. Students and people with authors' faces come here to pass the time. Since the food of the spirit is insufficient sustenance for the body, the kitchen provides a healthy menu with a hint of French cuisine, written on the blackboard. The service and the meals match the space in subtlety and lack of pretension. The waitress brings a huge bowl of linguini and smoked salmon, served with parmesan and her eloquence. The discussions the bookstore hosts each week attract a certain clientele that swarm around cups of coffee and humungous slices of cake.
Establishment recommended by Isabelle Chartier, art history student at l'Université de Montréal.

BOUCHERIE DE PARIS
5216, Gatineau
(514) 731-6615
Un des repères favoris des étudiants de l'UdeM pour venir chercher leur sandwich. Bien sûr, les prix sont adaptés à la clientèle (entre 2,50 et 5 $ le sandwich). Quand les beaux jours arrivent, la pelouse en face est prise d'assaut par la joyeuse clientèle de la boucherie de Paris.
Etablissement recommandé par Isabelle Chartier, étudiante à l'Université de Montréal en histoire de l'art.
One of the favourite places for U of M students to get a sandwich. Of course, the prices are perfect for the clientele (between $2.50-5 a sandwich). When the nice weather comes, the grass in front is taken over by the joyous clientele from the Paris Butcher.
Establishment recommended by Isabelle Chartier, art history student at l'Université de Montréal.

LE COMMENSAL
5199 Côte-des-Neiges
(514) 733-9755
Ouvert tous les jours de 11h à 22h.
Lire les commentaires dans la section 'Quartier latin'.
Open every day 11am-10pm.
Read the blurb in the "Latin Quartier" section.

PHO LIEN
5703 B, Côte-des-Nei-ges
(514) 735-6949
Métro Côte-des-Neiges, angle Côte Sainte-Catherine. Fermé mar, mer-lun 11h-22h. Menus 10 $, taxes incluses. Comptant seulement.
Installé en face de l'hôpital juif, ce petit restaurant toujours plein de monde propose des spécialités vietnamiennes composées de produits rigoureusement sélectionnés. On se laissera tenter par des rouleaux printaniers, une soupe tonkinoise ou l'un des menus proposés pour finir avec un délice trois couleurs (spécialité maison à base de tapioca, de fèves rouges et de lait de soya). Un excellent rapport qualité prix, d'autant que les taxes sont incluses. Au final, un endroit où on aime revenir.
Côte-des-Nei-ges Metro, corner Côte Sainte-Catherine. Closed Tues. Open Wed-Mon 11am-10pm. $10, taxes included. Cash only.
Located facing the Jewish General Hospital, this little restaurant, always packed, serves Vietnamese specialties made with carefully selected ingredients. Let yourself be tempted by the spring rolls, the Tonkinoise soup, or

one of the recommended meals, and finish off with a tri-coloured delicacy (the house specialty with tapioca, red beans and soy milk). An excellent quality : price ratio, given that the taxes are included. In conclusion, a place we'd love to return to.

EAST INDIA COMPANY
3533, Queen Mary
(514) 344-2217
Métro Côte-des-Neiges, angle Côte-des-Neiges. Plats entre 5,95 $ et 13,95 $. Buffet 10,95 $. Réduction de 1 $ sur présentation de la carte d'étudiant. Ouvert tous les jours, du lun au sam, de 11h à 14h et de 17h à 22h et le dim sans interruption de 12h à 21h.
C'est dans un décor plutôt raffiné que l'on vient déguster les grands classiques de la cuisine indienne. Ici, le chef pense à vos papilles d'Occidental et n'abuse pas des épices ! Au niveau des plats, on retrouve les grands classiques mais aussi des plats plus légers comme des salades, des wraps et des soupes-repas. Mais si vous êtes plutôt du genre à vouloir vous remplir la panse, précipitez-vous sur le buffet, plutôt pas mal ! Vous choisirez parmi les grands classiques, tels que le poulet au beurre ou le curry d'agneau. Nous vous conseillons les samosas et les beignets de légumes. Service très souriant et courtois.
Etablissement recommandé par Isabelle Chartier, étudiante à l'Université de Montréal en histoire de l'art.
Côte-des-Neiges Metro, corner Côte-des-Neiges. Meals $5.95-13.95. Buffet $10.95. $1 off when you present your student card. Open every day, Mon-Sam 11am-2pm and 5pm-10pm, and Sun noon-9pm.
In this refined décor, you can enjoy the great classics of Indian cuisine. Here, the chef considers your Western tastebuds and adjusts the spices accordingly. The meals include the classics but also lighter fare such as salads, wraps and meal-sized soups. But if you're the type who likes to fill your belly, get yourself to the buffet! You can choose from the classics, like butter chicken or lamb curry. We also recommend the samosas and the pakoras. Courteous service with a smile.
Restaurant recommended by Isabelle Chartier, art history student at l'Université de Montréal.

PIZZAFIORE
3518, Lacombe
(514) 735-1556
Métro Côte-des-Neiges, angle Côte-des-Neiges. Ouvert tous les jours de 11h à14h et de 17h à 23h. Pizza entre 7 et 15 $. Livraison gratuite. Terrasse.
Sous les yeux attentifs des clients, le chef s'affaire derrière le four à l'ancienne. L'arôme qui s'en échappe enveloppe les pizzas de mystère. Cependant, pas question de dévoiler la recette de cette explosion de saveur… « Le secret est dans la sauce », lance le chef. En effet, la Diva, l'une des 29 pizzas au menu, ne pince que finement la langue. Les épinards, asperges et brocoli révèlent toutes leurs saveurs grâce à la subtilité mais aussi l'éclat

© Robert Lerich - FOTOLIA

de la sauce tomate. Il ne reste qu'à remercier le serveur pour son choix judicieux.
Etablissement recommandé par Isabelle Chartier, étudiante à l'Université de Montréal en histoire de l'art.
Côte-des-Neiges Metro, corner Côte-des-Neiges. Open every day 11am-2pm and 5pm-11pm. Pizza $7-15. Free delivery. Terrace.
Under the attentive eyes of his patrons, the chef mans the wood-burning stove. The aroma that escapes envelops the pizzas in mystery. Meanwhile, don't bother trying to get the recipe for this flavour explosion… "The secret is in the sauce," retorts the chef. Actually, the Diva, one of the 29 pizzas on the menu, only pinches the tongue ever so lightly. Spinach, asparagus and broccoli reveal their flavours due to the subtle bite of the tomato sauce. The only thing left to do is thank the waiter for his excellent recommendation.
Restaurant recommended by Isabelle Chartier, art history student at l'Université de Montréal.

AILLEURS DANS MONTREAL / ELSEWHERE IN MONTREAL

CASA DEL POPOLO

4873, Saint-Laurent
(514) 284-3804
Métro Laurier. Ouvert tous les jours de midi à minuit.
Pour d'excellents sandwichs végétariens sur pain pumpernickel, nous recommandons sans réserve la Casa del Popolo. Servis avec nachos et salsa, ils ne coûtent que 5 $. Le sandwich au fromage de chèvre (avec piments rouges grillés, artichauts marinés, tomates et salade) est particulièrement savoureux. Il faut s'y rendre tôt, car ce tout petit café situé sur le boulevard Saint-Laurent, entre Villeneuve et St-Joseph, se remplit vite. Le soir venu, il se transforme en salle de concert (la programmation est impressionnante) et des groupes locaux cassent la baraque sous un plafond qui mérite qu'on y jette un œil.
Etablissement recommandé par Christine Poirier.
Laurier Metro. Open every day 12pm-12am.
For excellent vegetarian sandwichs on pumpernickel, we recommend Casa del Popolo without hesitation. Served with nachos and salsa, they cost only $5. The sandwich with

goat cheese (also with grilled red peppers, marinated artichokes, tomatoes and lettuce) is particularly good. Get there early, because this little café located on Saint-Laurent between Villeneuve and Saint-Joseph fills up quickly. At night, the place transforms into a venue for music shows (with an impressive line-up) and local groups shake the rafters beneath a ceiling that's worth a look.
Restaurant recommended by Christine Poirier.

LES ENTRETIENS
1577, Laurier E
(514) 521-2934
Métro Laurier, angle Papineau.
Ouvert tous les jours de 9h à 23h.
C'est un endroit idéal pour bouquiner et avoir une discussion intime avec une copine… ou un copain. On peut y rester aussi longtemps que l'on veut sans se faire déranger. Le café a un air branché, quartier Mont-Royal oblige, mais aussi un petit laisser-aller qui le rend attrayant. On y mange bien (du déjeuner au souper), à bon prix. Parfait pour ceux qui se préoccupent à la fois de la qualité de leur alimentation et de leur budget !
Etablissement recommandé par Christine Poirier.
Laurier Metro, corner Papineau.
Open every day 9am-11pm.
The best place to browse for books and have an intimate discussion with a pal…or with a romantic interest. You can stay as long as you like without being harassed. The café is hip, due to the location on chic Mount-Royal, but also relaxed, with explains its appeal. You can eat well (breakfast through dinner) for a good price. Perfect for those concerned about the quality and price of their food!
Restaurant recommended by Christine Poirier.

AUX VIVRES
4631, Saint-Laurent
(514) 842-3479
Métro Mont Royal. Mar-dim 11h-23h, lun fermé. Comptant et interac. Compter autour 12 $ le repas, comprenant un plat et un jus santé. Terrasse en été. Pas d'alcool.
Un temple végétalien qui s'attache à rendre ses plats originaux, goûteux et exotiques. Les bols, ces grands plats de légumes, bien assaisonnés, sont un régal. Les préparations servies sont très savoureuses tout en étant hautement nutritives et en grande majorité d'origine biologique. Les chapatis, ces galettes indiennes qui remplacent le pain, sont surprenantes. Le "beurre" qui les accompagne est mystérieusement réussi. La décoration, sobre et élégante, est égayée par une exposition dont l'artiste change tous les mois. Choix de tisanes, jus de fruits pressés sur place ou café équitable pour étancher sa soif.
Mont-Royal Metro. Tues-Sun 11am-11pm. Closed Mon. Cash and Interac. About $12 a meal, including a main course and a healthy juice. Terrace in summer. No alcohol.
A vegan temple that creates original, tasty and exotic dishes. The bowls, with great mounds of well seasoned vegetables, are a delight. The concoctions, mostly organic, are full of flavour and vitamins. The chapatis, those Indian flatbreads, served instead of bread, are surprising. The "butter" they are spread with is mysterious as well. The décor, sober and elegant, is brightened by exhibitions by a different artist every month. You have your choice of herbal teas, freshly squeezed fruit juices or free trade coffee to quench your thirst.

MONDO FRITZ
3899, Saint-Laurent
(514) 281-6521
Métro Sherbrooke. Entre 5$ et 9$.
Ouvert tous les jours, à partir de 11h30 en semaine et de midi les fins de semaine. Ferme à minuit du lun au jeu, à 1h le jeu, ven, sam et à 23h le dim. Visa, Interac.
Besoin de se mettre en forme avant sa sortie en boîte ? Alors, faites comme tous les jeunes et venez à Mondo Fritz, le paradis du hamburger, de la frite-mayo et de la bière ! Accompagnez votre poutine, votre poulet grillé ou votre steak d'une bonne bière. Mais prévoyez du temps, car il vous faudra choisir parmi les soixante différentes bières venues du monde entier… Niveau gastronomie, les hambourgeois sont fameux. Nos préférés ? On hésite entre celui au fromage bleu et tomates séchées ou celui au fromage de chèvre.
Sherbrooke Metro. $5-9. Open every day, 11:30am on weekdays, noon on weekends. Closes at midnight Mon-Wed, 1am Thurs-Sat, 11pm Sun. Visa, Interac.
Need to get ready for a big night out on the town? Do as the young folks do—come to Mondo Fritz, paradise of hamburgers, fries with mayo and beer! Have a nice beer with your poutine, grilled chicken or steak. But make sure you have plenty of time, because you have to choose from 60 different beers from around the world… As for the food, the hamburgers are famous. Our favourite? We're stuck between the blue cheese with sundried tomatoes and the goat cheese.

Peintures de / Paintings of Tony Gaudette © Johan Batier

Magasiner Shopping

S'IL EST UN DOMAINE PAR EXCELLENCE DANS LEQUEL CHACUN A DES GOÛTS DIFFÉRENTS, C'EST BIEN POUR LE MAGASINAGE, TANT DE VÊTEMENTS QUE DE MEUBLES OU D'ALIMENTS. NOUS VOUS DONNONS QUELQUES BONS PLANS, QUELQUES PISTES À EXPLORER.

IF THERE'S ONE AREA WHERE PEOPLE'S TASTE VARY THE MOST, IT'S DEFINITELY SHOPPING, WHETHER FOR CLOTHES, FURNITURE OR FOOD. HERE ARE OUR SUGGESTIONS OF PLACES TO EXPLORE.

VÊTEMENTS / CLOTHES

LES GRANDES CHAÎNES / LASER GAMES

Les prix des vêtements dans les chaînes internationales (Gap, Urban Outfitters) ou canadiennes (Bedo, Jacob) ne sont pas excessifs. En cherchant bien vous ferez de bonnes affaires. Voici nos conseils :
Gap. Dans toutes leurs boutiques, il y a toujours des articles en solde.
Bedo. Préférez la boutique sur Saint-Laurent, coin Saint-Joseph. Moins chère qu'ailleurs.
Urban Outfitters. 1250, Sainte-Catherine O. Dans cette boutique urbaine et originale, solde à l'étage.
Aldo. Le chausseur canadien liquide ses articles au 1025, Sainte-Catherine O.

Prices for clothes at the international (Gap, Urban Outfitters) or Canadian (Bedo, Jacob) chains are fairly reasonable. With a bit of effort, you'll find excellent deals. Our suggestions :
Gap. Articles on sale in all their stores.
Bedo. The one on Saint-Laurent, corner Saint-Joseph, is cheaper.
Urban Outfitters. 1250, Sainte-Catherine W. Sales on the first floor at this urban and original store.
Aldo. This Canadian shoe company has a discount store at 1025, Sainte-Catherine W.

LES FRIPERIES / SECOND HAND STORES

Si vous n'exigez pas du neuf, vous ferez peut-être une bonne affaire dans une friperie. Il y en a plusieurs sur l'avenue Mont-Royal, entre Saint-Denis et Saint-Laurent.

LE GUIDE DU RÉEMPLOI

DES SOLUTIONS ÉCONOMIQUES ET ÉCOLOGIQUES

BESOIN D'UN FRIGO OU D'UNE LAVEUSE POUR VOTRE NOUVEL APPARTEMENT ? ENVIE D'UN NOUVEAU MANTEAU POUR L'HIVER ? MAIS, VOUS NE DISPOSEZ QUE D'UN PETIT BUDGET... PAS DE SOUCIS ! LE GUIDE DU RÉEMPLOI EST FAIT POUR VOUS. LES ADRESSES DE FRIPERIES, DE VENDEURS DE MEUBLES USAGÉS ET DE LIBRAIRIES D'OCCASION SONT RÉPERTORIÉES ET CLASSÉES PAR QUARTIER. ON TROUVE DANS CE GUIDE PLUS DE 600 ADRESSES ... AVEC TOUTE CETTE INFORMATION, ON NE VA QUAND MÊME PAS SE RUINER EN ACHETANT DU NEUF !

TOUTES LES INFOS SE TROUVENT SUR LE SITE : WWW.GUIDEDUREEMPLOI.COM

THE GUIDE TO REUSE

ECONOMIC AND ECOLOGICAL SOLUTIONS

NEED A FRIDGE OR WASHING MACHINE FOR YOUR NEW PLACE? WANT A NEW WINTER COAT? ON A TIGHT BUDGET? NO WORRIES! THE GUIDE TO REUSE IS FOR YOU. IT PROVIDES THE ADDRESSES FOR SECOND-HAND CLOTHES, FURNITURE AND BOOK STORES, ORGANISED BY ITEM AND NEIGHBOURHOOD. YOU'LL FIND MORE THAN 600 ADDRESSES... WITH ALL THIS INFORMATION, YOU WON'T HAVE TO RUIN YOURSELF TRYING TO BUY EVERYTHING NEW!

ALL THE INFORMATION IS ON THEIR WEBSITE: WWW.GUIDEDUREEMPLOI.COM

AILLEURS DANS LA VILLE, JETEZ UN COUP D'ŒIL CHEZ :

EVA B
2013, Saint-Laurent. Immense.
Tous types de vêtements.

FRIPE PRIX RENAISSANCE
www.renaissancequebec.ca
Vraiment pas cher. Voir l'adresse de la boutique la plus proche de chez vous sur le site web.

If you don't require brand new clothes, you might prefer good deals of the second-hand variety. There are plenty of stores to choose from along Mont-Royal, between Saint-Denis and Saint-Laurent.

OTHER SPOTS IN TOWN INCLUDE:

EVA B
2013, Saint-Laurent.
Huge. Clothes in all styles.

FRIPE PRIX RENAISSANCE
www.renaissancequebec.ca
Really not expensive. Find the address closest to you on their website.

L'ÉPICERIE / GROCERY STORES

Fruits, légumes et viandes sont vendus à des prix raisonnables au marché Jean Talon (Métro Jean Talon). Les produits sont de qualité, les marchands agréables et l'ambiance générale fort sympathique.
Pour les horaires voir : www.marchespublics-mtl.com
Les épiceries du quartier chinois, dans le centre-ville (rue de la Gauchetière, coin Saint-Laurent) vendent des produits souvent exotiques un peu moins chers qu'ailleurs.

Fruits, vegetables and meat are sold at reasonable prices at the Jean-Talon Market (Jean-Talon Metro). The products are high quality, the merchants pleasant and the general atmosphere very enjoyable.
For schedules, go to : www.marchespublics-mtl.com/en-CA
The grocery stores in Chinatown, downtown (de la Gauchetière, corner Saint-Laurent) sell exotic products for less.

© johan.batier@sympatico.ca

MARCHÉ LOBO
3509, du Parc,
au nord de Milton.
Une épicerie où il est bon de venir à plusieurs puisqu'on y achète des produits généralement par lots. Beaucoup de bonnes affaires.
It's good to come to this grocery store with your friends, because Marché Lobo generally sells products in bulk. A lot of good stuff.

EPICERIE SEGAL
4001, Saint-Laurent,
coin Duluth
Bon marché. Présentation des produits assez ... particulière.
Good deals. The product displays are very...interesting.

UN FUTON QUÉBÉCOIS

FUTON D'OR

3855, RUE SAINT DENIS
(514) 499-0438
WWW.FUTONDOR.COM
MÉTRO SHERBROOKE, ANGLE ROY. VISA, MC & INTERAC. LUN-MER 10H-18H, JEU-VEN 10H-21H, SAM 10H-17H, DIM 12H-17H.
UN FUTON FAIT AU QUÉBEC ! EH OUI, C'EST POSSIBLE. C'EST AVEC ÉTONNEMENT QUE NOUS AVONS DÉCOUVERT QUE CHEZ FUTON D'OR, TOUS LES FUTONS ÉTAIENT FABRIQUÉS À GATINEAU. PLUS ENCORE, CONTRAIREMENT À CE QUE L'ON POURRAIT PRÉJUGER, LES PRIX RESTENT TRÈS RAISONNABLES. DISONS MÊME PLUS : LES PROPRIÉTAIRES GARANTISSENT LE MEILLEUR PRIX EN VILLE, À QUALITÉ ÉGALE BIEN SÛR. LA LARGE GAMME DE PRODUITS VA DU FUTON-DIVAN POUR ÉTUDIANTS À PARTIR DE 250 – 300 $ (HOUSE AMOVIBLE INCLUSE) AU FUTON DE TRÈS GRANDE QUALITÉ, QUE L'ON PEUT UTILISER POUR DORMIR TOUS LES SOIRS. AUTRE PLUS: LE CHOIX DES HOUSSES.
SHERBROOKE METRO, CORNER ROY. VISA, MC & INTERAC. MON-WED 10AM-6PM, THU-FRI 10AM-9PM, SAT 10-5PM, SUN 12PM-5PM.
A FUTON MADE IN QUEBEC? WHY NOT? WE WERE TOTALLY SURPRISED TO DISCOVER THAT ALL THE FUTONS AT FUTON D'OR WERE MADE IN GATINEAU. THE BIGGEST SURPRISE? THE PRICES ARE AFFORDABLE! AND THERE'S MORE: THE OWNERS GUARANTEE THE BEST PRICE IN TOWN--FOR THE SAME QUALITY, OF COURSE! THE LARGE SELECTION RANGES FROM FUTON-COUCHES FOR STUDENTS STARTING AT $250-300 (REMOVABLE COVER INCLUDED), TO HIGH QUALITY FUTONS YOU CAN USE EVERY NIGHT. TO TOP IT ALL OFF, CHECK OUT THE ARRAY OF FUTON COVERS.

© Futon d'Or - Modèle présenté : New Hampshire

© dwphotos - FOTOLIA

LES RUES SAINT-DENIS, SAINT-LAURENT, PRINCE ARTHUR ET CRESCENT ATTIRENT LES FOULES D'ÉTUDIANTS, DÈS LE JEUDI SOIR, OU MÊME AVANT ! DANS UN PETIT PÉRIMÈTRE SE CONCENTRENT UNE FOULE DE BARS. DE QUOI FAIRE RÊVER LES AMOUREUX DE LA NUIT. HORMIS DANS CERTAINES DISCOTHÈQUES, LE CODE VESTIMENTAIRE EST DÉCONTRACTÉ.

ON THURSDAY NIGHT—OR EVEN BEFORE--SAINT-DENIS, SAINT-LAURENT, PRINCE ARTHUR AND CRESCENT STREETS ATTRACT MOBS OF STUDENTS—WHAT LOVERS DREAM NIGHTS SHOULD BE. EXCEPT FOR A FEW DISCOS, THE DRESS CODE IS FAIRLY CASUAL.

BARS

CAFÉ L'UTOPIK
552, Sainte-Catherine E
(514) 844-1139
www.lutopik.org
Métro Berri-UQAM, angle Labelle. Ouvert tous les jours de 7 h à 1h du matin.
Autrefois le Café Ludik, le Café l'Utopik est un endroit tout à fait agréable pour prendre un café mais aussi pour boire une bière, que ce soit autour d'une table de backgammon ou tout simplement dans l'une des petites salles intimes, écrasé sur un fauteuil. Des concerts sont présentés tous les soirs et les styles musicaux varient du jazz au blues en passant par les rythmes tziganes. La chanson francophone s'y exprime aussi de temps à autre. Une librairie alternative offre la chance aux esprits curieux et ouverts de consulter des magazines et journaux très engagés.
Berri-UQAM Metro, corner Labelle. Open every day 7am-1am.
Once called Café Ludik, Café l'Utopik is a great place for coffee but also for a beer, whether around a backgammon table or settled in a comfy chair in one of the intimate rooms. Shows are on every night, music varying from jazz to blues, via Gypsy rhythms. Francophone songs also takes centre stage from time to time. An alternative bookstore will entice curious minds interested in browsing through the activist magazines and newspapers.

CHEERS
1260, Mackay
(514) 932-3138
Métro Peel.
Un pub à l'anglaise, avec son grand comptoir

qui réunit les habitués, ses nombreuses télés diffusant du sport, ses happys hours et la bière qui coule à flots ! La piste de danse est immense et, la fin de semaine, la jeunesse montréalaise s'y déhanche tout en buvant de bonnes bières. Si vous n'avez pas peur des excès, venez donc un vendredi soir à partir de 23h : l'entrée vous coûtera 5 $, mais ensuite toutes les autres consommations seront à 1 $!
Peel Metro.
An English pub with a long bar at which sit the regulars, with sports playing on its many T.V. screens, its Happy Hour, and the beer that flows and flows. The dance floor is huge, and every weekend young Montrealers get down while drinking good beer. If you don't fear excess, come Fridays after 11pm: cover is $5, but drinks are $1!

DIEU DU CIEL!
29, Laurier O/W
(514) 490-9555
Métro Laurier. Angle Clark.
Ouvert tous les jours de 15h à 3h du matin.
Amateurs de bières, gare à vous ! Ici, on brasse maison et on change très régulièrement les recettes. Donc, il y a toujours une nouveauté à découvrir. Les noms des boissons sont à tomber par terre ! Que pensez-vous de l'appellation Fumisterie pour la bière à base de chanvre ? Les patrons, trois anciens étudiants en biologie, connaissent les formules pour que vous vous régaliez ! Si vous ne savez pas quelle bière choisir parmi la vingtaine proposée, optez pour les petits verres de dégustation à 1 $. Situé sur le trajet d'autobus qui mène à l'Université de Montréal, le Dieu du ciel! a le grand bonheur d'accueillir son lot quotidien d'étudiants.
Laurier Metro, corner Clark.
Open every day 3pm-3am.
Beer lovers, come park yourselves! Here, beer is brewed, with receipes changing regularly. There's always something new to discover. The names of the drinks come out of no where. What do you think about a beer called Fumisterie ("practical joke" but also "smoke") for hemp-based beer? The owners, three biology graduates, know the formulas that will delight you! If you don't know which beer to choose from the 20 on offer, choose the $1 tasters. Located on the bus route that goes to U of M, the Dieu de ciel! attracts a large student crowd daily.

GRANDE GUEULE
5615A, Côte-des-Neiges
(514) 733-3512
Métro Côte-des-Neiges, bus 165 ou 535, angle Saint-Kevin. Lun-ven 11h-3h, sam-dim 13h-3h.
Mise à part la terrasse l'été, aucun indice ne permet de deviner qu'autant de chaleur se cache à l'intérieur de ce petit pub du quartier Côte-des-Neiges. Étudiants pour la plupart et habitués du quartier se réunissent quotidiennement à la Grande Gueule pour discuter de tout et passer un moment agréable. Les produits McAuslan sont à la tête d'une impressionnante liste d'une cinquantaine de bières des quatre coins du monde. D'autre part, les barmans n'hésiteront pas à vous faire découvrir les nouveaux cocktails de leurs crus. La cuisine reste ouverte jusqu'à 1h chaque soir, avec pour spécialité le copieux hot dog maison. Le soir, venez profiter de leurs fréquents concerts de musique live (jazz, blues, rock etc). Bref, l'endroit se trouve parmi les plus fréquentés par les étudiants du campus de l'Université de Montréal, et c'est bien mérité!
Côte-des-Neiges Metro, Bus 165 or 535, corner Saint-Kevin. Mon-Fri 11am-3am, Sat-Sun 1pm-3am.
Aside from the terrace in the summer, there is no outer clue of what awaits inside this warm little pub in Côte-des-Neiges. Students and locals make up the daily crowd at the Grande Gueule, where they discuss everything and spend some quality time. McAuslan drinks are at the top of an impressive list of 50 or so beers from the four corners of the globe. Or the bartenders are happy to prepare one of their cocktail concoctions. The kitchen is open until 1am each night—the specialty is the huge house hot dog. In the evening come and have fun at one of the various live music show (rock, jazz, blues etc) In short, the place is one of the most frequented by U of M students, for good reason!

LA MAISONNÉE
5385, Gatineau
(514) 733-0412
Métro Côte-des-Neiges.
La soirée karaoké du mardi soir est très connue. Elle attire des foules d'étudiants, principalement venus de l'Université de Montréal, pas loin de là. Les autres soirs, l'ambiance est très estudiantine et la bière pas trop chère !
Côte-des-Neiges Metro.
Karaoke night on Tuesdays is very popular. It attracts crowds of students, mostly from nearby U of M. Other nights, the atmosphere is very student-y and the beer quite cheap.

LES 3 BRASSEURS
1658, Saint-Denis (514) 845-1660
Métro Berri-UQAM
732, Sainte Catherine O/W
(514) 788-6333
Ouvert tous les jours de 11h à 1h en hiver et de 11h à 3h en été.
Les grandes cuves fumantes brassant 800 litres de bière sont un spectacle à ne pas rater! Et la bière maison doit être goûtée ! Cette brasserie fonctionne à plein régime depuis sa récente ouverture et il n'est pas rare de voir des clients debout à attendre une place pour le "4 à 7". Les 3 Brasseurs font partie d'une chaîne française née à Lille dans les années 80. Depuis, on se précipite sur leurs bières délicieuses et sur les fameuses 'flamkeuches', spécialité des Flandres. Ces "flamm's", constituée d'une pâte nappée de crème, lardon, fromages du Québec et autres garnitures au choix, accompagnent la bière à ravir.
Open every day 11am-1am in winter and 11am-3am in summer.
The great vats brewing 800 litres of beer are a sight not to be missed! And the house beer must be tasted. This micro-brewery has been filled to capacity since its recent opening, and it's not unusual to see clients standing up for the "4 à 7." Les 3 Brasseurs are part of a French chain born in Lille in the '80s. Since then, there's been a rush on their delicious beers and on the famous 'flamkeuches', Belgian specialties. These "flamms" consist of a crust covered with cream, bacon, Quebec cheeses and toppings of your choice, accompanied by a beer.

LE RÉSERVOIR, BRASSERIE ARTISANALE
9, Duluth O/W
(514) 849-7779
Métro Sherbrooke. Ouvert tous les jours, la semaine de midi à 3h et la fin de semaine de 11h à 3h.
Le Réservoir fait partie de ces micro-brasseries où l'on vient boire une bière en dégustant quelque casse-croûte original comme la terrine maison aux pruneaux et à l'orange. Question déco, Le Réservoir joue la carte de la sobriété, un beau mariage entre le bar moderne et le pub classique. Des murs de briques et des murs blancs, avec quelques photographies aux allures actuelles qui les égayent, c'est simple et réussi. Le soir, la luminosité provenant des lampadaires de la rue Duluth traverse l'immense fenêtre qui sert de façade avant et confère au pub une ambiance des plus affables. Les propriétaires

ont gagné leur pari : Le Réservoir a une âme, on a le goût de rester assis à refaire le monde autour d'une bière. D'ailleurs, le deuxième étage, avec sa terrasse et ses fauteuils confortables, s'y prête bien.
Sherbrooke Metro. Open weekdays 12pm-3am, and weekends 11am-3am.
The Reservoir is part of the slew of micro-breweries where you can come and have a beer while tasting some original snacks like house specialty terrine (pâté) of prunes and orange. The décor is fairly subdued, a nice combination of modern bar and classic pub. Some walls are brick, some painted white, with contemporary photographs that brighten things up while keeping them simple. At night, the street lights of Duluth shine through the huge front window, which gives the place a friendlier ambience. The owners won their bet: Reservoir has soul. It's great to sit and contemplate the world while enjoying a beer. The second floor, with its terrace and comfy chairs, is also enjoyable.

BARS BOÎTES / CLUBS

Vous trouverez dans cette section des bars spécialisés dans la musique et dans lesquels

une piste de danse s'enflamme les fins de semaine !
In this section, you will find bars specialising in music, where the dance floor heats up on weekends!

AU DIABLE VERT
4557, Saint-Denis
(514) 849-5888
www.audiablevert.net
Métro Mont-Royal, angle Mont-Royal. Ouvert tous les soirs de 21h-3h sauf le lun, ouverture à 20h. Ouvert le dim pour la soirée du 'cabaret des auteurs littéraires du dimanche'. Entrée : lun et mar 5 $, mercre-di et jeudi, 3 $, vendre-di et same-di 6 $, le diman-che 5 $.
Ne vous laissez pas influencer par tout ce rouge, car malgré son nom, vous êtes bien Au Diable Vert ! Un bar à l'ambiance jeune et décontractée, où le hip hop, le rap et le rock à la mode s'agrémentent de choix de consommations pour le plus grand plaisir des clients. La piste est petite mais on s'y amuse bien et l'endroit demeure fort achalandé en fin de semaine. Quelques soirées à thème rythment la semaine : musique funk trois lundis par mois, soirée des dames le mardi, spéciaux sur les bières les mercredis et jeudis.
Mont-Royal Metro, corner Mont-Royal. Open every night 9pm-3am except for Monday at 8pm. Open Sundays for the "Sunday Literature Cabaret." Cover: Sun-Tues $5, Wed-Thu $3, Fri-Sat $6.
Don't be fooled by the red, because, despite its name, you are definitely Au Diable Vert! A bar with a young, casual atmosphere, where hip hop, rap and rock supplement patrons' requests--to everyone's great joy. The dance floor is tiny, but everyone has a good time and the place is packed on weekends. The weeknights have themes: funk three Mondays per month, Ladies' Night on Tuesdays, and beer specials Wednesdays and Thursdays.

LE BELMONT
4483, Saint-Laurent
(514) 845-8443
Métro Mont-Royal. Ouvert du jeu au sam de 17h à 3h, sauf sam ouverture à 20h. Visa, MC, AE & Interac. Entrée : jeudi 4$, ven-sam 5$.
Le Belmont est un de ces noms qui fait frétiller les oreilles de bien des étudiants de l'UQAM depuis des années. Avec sa grande piste de danse, son côté bar aux grandes fenêtres avec tables de billard, de baby-foot et écrans géants, cette Mecque des sorteux sait s'adapter à ses diverses vocations. Depuis peu, les jeudis soirs sont réservés au rock. Les fins de semaine, la fête enflamme les lieux. Une fois que les rythmes de la danse, du disco ou du rock ont emporté la foule bien tassée, les places assises sont envahies de bras et de jambes en mouvement pour une longue soirée (ou nuit) de fête.
Mont-Royal Metro. Open Thurs-Sat 5pm-3am, except Sat 8pm. Visa, MC, AE & Interac. Cover: Thurs $4, Fri-Sat $5.
The Belmont is one of those names that UQAM students have known for years. With its huge dance floor, its bar with huge windows and pool tables, table football and giant-screen televisions, this Mecca for partiers knows how to adapt to its various vocations. Recently, Thursdays night have been dedicated to rock. Weekends, the party heats up. Once the beat of disco and rock have gotten the crowd moving, the seats are taken over by legs and arms dancing all night long.

CAFÉ CAMPUS
57, Prince Arthur E
(514) 844-1010
www.cafecampus.com
Métro Sherbrooke, angle Saint-Laurent. Mar-sam 20h-3h, dim 20h-3h. Tarifs entrée (Campus en haut) : mar 6$, mer 6$, jeu 5$ - étudiants 3 $, sam et dim 3 $. Concerts fréquents. 500-600 places.
Fréquenté par de jeunes étudiants friands de nouveautés, le Café Campus est un des lieux ultra-connus à Montréal ! On parle sans arrêt de son ambiance et de la qualité de sa programmation musicale. Café campus se divise en deux parties: le Petit Campus, en bas, salle de taille moyenne et le Campus du haut, un grand espace équipé d'une scène et d'une mezzanine. Quand ce n'est pas une salle de concert, c'est un bar-discothèque à l'ambiance survoltée qui fait la joie d'une clientèle jeune et dynamique. À chaque soir de la semaine son thème : lundi : " ligue d'impro", mardi : "rétro" (musique des années 50 à 80), mercredi : "Blues", jeudi : "Hits-moi" (les hits des années 90), dimanche : "francophone" et tous les premiers samedis du mois : maximum rétro (musique des années 80). Si vous n'avez pas peur de bouger, essayez les mardis rétro et vous comprendrez l'ambiance du Café Campus !
Sherbrooke Metro, corner Saint-Laurent. Tues-Sun 8pm-3am. Cover (Campus upstairs): Tues-Thurs $6 — Students $3, Sat-Sun $3. Frequents shows. 500-600 capacity.
Frequented by young students who like novelty, the Café Campus is one of the best known places in Montreal. People love its

© Vladimir Georgievskiy - FOTOLIA

ambience and its excellent musical selection. Café Campus has two parts: below, Petit Campus, a medium-sized hall; upstairs, Campus, a huge space equipped with a stage and balcony. When it's not a concert hall, it's a dance club with a supercharged atmosphere beloved of the young, dynamic clientele. Every night of the week has a theme: Improv Mondays, Retro Tuesdays (music of the '50s to '80s), Blues Wednesdays, "Hit-Me" Thursdays ('90s hits), Francophone Sundays, each first Saturdays of the month are Maximum Retro (music of the '80s). If you love to move, try Retro Tuesdays and you'll understand Café Campus

BLUE DOG LOUNGE
3958, Saint-Laurent
(514) 848-7006
Métro Mont-Royal. Angle Rachel. Aucune carte acceptée. Ouvert du mer au dim de 22h à 3h.
La musique bien connue du Blue Dog se veut variée et jeune, comme la clientèle, composée d'étudiants et de marginaux en tous genres. Techno minimal, break beats, hip hop commercial et underground, drum and bass ne sont qu'un échantillon des tendances explorées. Si vous cherchez un lieu plus underground que la plupart des bars sur Saint-Laurent, vous risquez d'aimer le Blue Dog, un lounge probablement bien différent que celui que vous avez chez vous !
Metro Mont-Royal, corner Rachel. No credit cards. Open Wed-Sun 10pm-3am.
The music best known at Blue Dog is varied and young, like the clientele, composed of students and people on the fringes. Minimal techno, break beats, commercial and underground hip hop and drum&bass gives you a hint of the variety. If you are searching for the most underground bar on Saint-Laurent, you will probably like Blue Dog, a lounge very different from the others you have been to.

CAFÉ CHAOS
1637, Saint-Denis
(514) 844-2014
www.cafechaos.qc.ca
Métro Berri-UQAM. Angle Ontario. Ouverture à 16h la semaine et à 1 h sam et dim. Fermeture à 3h.
Avis aux amateurs de musique underground, de punk, de rock, de goth et de metal ! Ici, vous trouverez des concerts live de toutes ces musiques. Côté ambiance, le cuir a sa place et les punks ne se sentiront pas observés. Le Chaos a su préserver son identité propre et cela se ressent tous les soirs. En fin de journée, vous pouvez prendre un pot au premier étage, dans un univers coloré et en écoutant une musique dynamisante. Le soir, montez dans la grande salle de concerts, dans laquelle vous ne pourrez rester indifférent.
Berri-UQAM Metro, corner Ontario.
Open 4pm during the week and 1am Sat-Sun. Closes at 3am.
Warning to lovers of underground music, punk, rock, goth and metal! Here, you'll find live shows in all these styles. The atmosphere is such that leather and punks won't feel out

of place. The Chaos has retained its identity, which can be felt every night. At the end of the day, you can have a drink on the first floor, in a colourful universe accompanied by music full of energy. At night, go up to the big concert hall.

FOUFOUNES ÉLECTRIQUES
87, Sainte-Catherine E
(514) 844-5539
www.foufounes.qc.ca
Métro Saint-Laurent ou Berri, angle Hôtel-de-ville. Ouvert tous les jours 15h-3h. Entrée: mardi 3$, mercredi gratuit, jeudi 4$, vendredi 5$, samedi 8$.
Bienvenu dans ce temple de la musique underground, qui a su attirer avec le temps les plus marginaux des Montréalais ! Les Foufounes demeurent l'un des endroits où l'originalité domine à tous les plans. Les vendredis et samedis sont aussi synonymes de maux de têtes puisque les spéciaux sur la bière et les shooters rendent la sobriété impensable. Soirées thématiques : les mardis R.P.M. (Rock, Punk, Métal), les mercredis Ripper Skate (la seule soirée avec une mini-rampe intérieure de Montréal), les jeudis Demonik (soirée des dames), les vendredis F*** et les samedis à fond (soirée agressive et spéciaux Formule 1).
Saint-Laurent or Berri Metro, corner Hôtel-de-ville. Open every day 3pm-3am. Cover: Tues $3, Wed free, Thurs $4, Fri $5, Sat $8.
Welcome to the temple of underground music, which has attracted even the most marginal Montrealers! Foufs is still one of those places where originality dominates on all levels. Fridays and Saturdays mean headaches because the beer and shooter specials make sobriety unthinkable. Theme nights: Retro R.P.M. Tuesdays (Rock, Punk, Metal), Under Attack Wednesdays (the only night with an indoor mini-ramp in Montreal), Demonik Thursdays (Ladies' Night), F*** Fridays, Thoroughly Saturdays (Aggressive Night and Formula 1 Specials).

HEMISPHÈRE GAUCHE
221, Beaubien E
(514) 278-6693
www.hemispheregauche.com
Métro Beaubien. Angle rue de Gaspé. Ouvert tous les jours de 11h à 3h. Fins de semaine, ouverture à midi. Mercredi : soirée DJ et jeudi, spéciaux pour les filles. Concerts et événements réguliers les autres soirs.
Le métro Beaubien semble être l'un des nouveaux points d'attraction de la gente universitaire, de plus en plus nombreuse à y établir son gîte. L'Hémisphère gauche est un des bars les plus sympas du coin, qui se démarque avec sa musique : ska, punk ou métal. Vous pouvez décider de vous tourner vers le babyfoot ou le billard pour agrémenter votre soirée. Spéciaux régulièrement sur la bière.
Beaubien Metro. Corner de Gaspé. Open every day 11am-3am. Open weekends at noon. Wed: DJ night. Thurs: Ladies' specials. Shows and regular events other nights.
Metro Beaubien might be a new centre of attraction for the university crowd, but more and more are finding it to their liking. L'Hémisphère gauche is one of the best bars in the 'hood, notable for its music: ska, punk or metal. You can decide to play table football or pool to enhance your evening. Regular beer specials.

GOGO LOUNGE
3682, Saint-Laurent
(514) 286-0882
Métro Sherbrooke. Angle rue Prince Arthur. Ouvert la semaine de 17h à 3h et la fin de semaine dès sam 16h et dim 19h. Entrée libre.
On s'en doute un peu à voir le nom de l'endroit : le décor doit être hyper kitch et l'ambiance à la fête. C'est le cas ! Dans un premier temps, ce sont les couleurs éclatantes qui confirment nos soupçons, tout comme les lampes en forme de fleur. Ensuite, quand l'assemblée est bien réchauffée, on assiste au spectacle : les filles grimpent sur les chaises pour se dandiner sur la musique rétro. Pas besoin de piste de danse, ça grouille partout ! Et comme si ce n'était pas assez, pour compléter le paysage, les danses collées qui finissent en éternels french kiss. Avis aux amateurs !
Sherbrooke Metro. Corner Prince-Arthur. Open weekdays 5pm-3am and weekends Sat at 4pm and Sun at 7pm. No cover.
You might question the name, the super-kitschy décor and the festive atmosphere! But that's the point! At once, the bright colours confirm your suspicions, as do the flower lamps. Then, when the gang is warmed up, watch the show: the girls climb on chairs to dance to the retro tunes. No need for a dance floor, people are shakin' it everywhere! If that's not enough, to complete the scenery, the slow dancing that ends in the never-ending French kiss. Warning to lovers!

JELLO BAR
151, Ontario E
(514) 285-2621
Métro Saint-Laurent. Angle de Bullion.

Ouvert tous les jours, le lun et dim dès 21h, le mar, mer et sam à 22h et le jeu et vend à 17h. Les prix d'entrée varient de 7 à 10$ selon les soirées.
Le Jello se distingue des autres bars par la qualité son décor, sa carte de boissons et sa musique. Sa clientèle, plus chic que dans d'autres bars à bière, se mélange avec des jeunes professionnels. Niveau déco, ici, c'est le Rétro qui revient, qui triomphe même : fauteuils, lampes, déco murale ... Tout ça date vraiment d'une autre époque ! Côté boissons, jetez un coup d'œil sur cette carte qui propose plus de 50 martinis. Vous avez déjà vu ça ? Vraiment ? Et, pour la musique, chaque soir de semaine se caractérise par son thème : lundi 'crooners' (avec Frédérick de Granpré), mardi 'Funky ass' (soul et funk), mercredi 'originalité (nouveaux talents de Montréal), jeudi : Jojo Flores, Misayo et DJ Toddy Flores (house garage, afro-latin et autres).
Metro Saint-Laurent, corner de Bullion. Open every day, Sun and Mon after 9pm, Tues, Wed, and Sat at 10pm, and Thurs-Fri at 5pm. Cover $7-10 depending on the night.
Jello stands out due to its décor, its drink menu and its music. Its clientele, more chic than that of the beer bars, is a mix of young professionals. The décor is triumphantly retro: chairs, lamps, walls... All of it from yesterday. The drink menu offers over 50 martinis. You've never seen anything like it. Really. As for the music, each night of the week is defined by a theme: "Crooner" Mondays (with Frédérick de Granpré), "Fundy Ass" Tuesdays (Soul and Funk), Original Wednesdays (new Montreal talent), Thursdays with Jojo Flores, Misayo and DJ Toddy Flores (house garage, Afro-Latin, etc.)

LES 2 PIERROTS
104, Saint-Paul E
(514) 861-1686
www.lespierrots.com
Métro Place d'Armes ou Champ-de-Mars. Ouvert le ven et le sam uniquement, à partir de 20h. 6 $ l'entrée.
Les deux Pierrots sont incontournables si l'on veut plonger dans une atmosphère enivrante et joyeuse, sur fond de standards québécois comme de tubes internationaux. Pour avoir une chance de s'asseoir, prévoir de venir en avance, tellement l'endroit brasse du monde : jeunes et moins jeunes, Québécois et touristes en mal de spectacles « pure souche ». Les serveurs et les serveuses font un travail impressionnant pour satisfaire tout le monde : du sport avec un sourire omniprésent. Une référence pour les fêtards de toujours, jamais en voie de passer date.
Metro Place d'Armes or Champ-de-Mars. Open Fridays and Saturdays only, at 8pm. Cover $6.
Les deux Pierrots should not be missed if you yearn for a drunken, joyful atmopshere against a background of Quebec standards. To get a seat, come early—this place is always packed with the young and younger, Quebecers and tourists hungry for the "authentic" shows. The wait staff do an impressive job satisfying everyone, and always with a smile. A reference point for eternal partiers, never out of date

PUB QUARTIER LATIN
318, Ontario E
(514) 845-3301
Métro Berri-UQAM. Angle Sanguinet. Ouvert tous les jours dès 15h.
Parfait pour une discussion dans une ambiance très relaxe sur fond de R&B, de soul et de funk, Le Pub Quartier Latin propose tous les jours de semaine des 5 à 7 et offre un éventail de portos, de vins, de scotch et de bières importées. Entre le lounge et le pub, ce lieu chic mais accessible peut convenir à toutes les bourses et à tous les goûts. Le personnel courtois et très sympathique fait de ce lieu de détente chaleureux un petit coin de paradis. L'essayer, c'est l'adopter.
Berri-UQAM Metro. Corner Sanguinet. Open every day at 3pm.
Perfect for a chat in a relaxed atmosphere with R&B, soul and funk playing in the background. The Quartier Latin has 5 à 7's every day, with a wide selection of porto, wine, scotch and imported beer. Between the lounge and the pub, this chic but accessible hotspot will appeal to all budgets and tastes. The staff are courteous and friendly, making this hang-out a nice little bit of paradise.
To try is to like.

SAINTE-ELISABETH
1412, Sainte-Elisabeth
(514) 286-4302
www.ste-elizabeth.com
Métro Berri-UQAM, angle Sainte-Catherine. Lun-ven 16h-3h, sam 18h-3h, dim 18h-1h. Visa, MC, AE, DC & Interac. Terrasse extérieure.
Établi près de l'UQAM, ce grand pub de style irlandais a fait jaser pour une raison majeure: sa superbe terrasse emmurée, couverte de

plantes grimpantes et parsemée d'arbres. Celle-ci, la plus belle à Montréal, selon les gens qui la fréquentent, se veut un havre de paix, un coin qui nous fait oublier que l'on se trouve à deux pas de l'angle Saint-Laurent/ Sainte-Catherine. On peut s'y asseoir jusqu'à ce que l'hiver arrive grâce au chauffage. Quoi de mieux pour apprécier la splendeur des arbres en automne? La saison froide venue, on investit l'un des deux étages pour profiter des 4 à 8 en jazz et en blues puis, y poursuivre la soirée une pinte de bière à la main et le cœur léger.

Berri-UQAM Metro, corner Sainte-Catherine. Mon-Fri 4pm-3am, Sat 6pm-3am, Sun 6pm-1am. Visa, MC, AE, DC & Interac. Outdoor terrace.

Established near UQAM, this big Irish-style pub is attracting attention for one major reason: its superb walled terrace, covered with climbing plants and a smattering of trees. This terrace, the nicest in Montreal according to its patrons, has created a peaceful harbour, a place where we can forget that we're two steps away from the corner of Saint-Laurent and Sainte-Catherine. We can sit until winter comes, thanks to the heating. What could be better for appreciating the splendour of autumn leaves? When the cold season comes, install yourself on one of two floors and enjoy the 4 á 8's with jazz and Blues, then enjoy the evening with a pint in hand and a light heart.

SAINT-SULPICE
1680, Saint-Denis
(514) 844-9458

Métro Berri-UQAM. Angle Emery. Ouvert tous les jours.

Avec ses quatre étages, huit bars, une discothèque et de la musique pour tous les goûts, le Saint-Sulpice est devenu un incontournable du Quartier latin. Les étudiants de l'UQAM s'y rendent depuis plus de vingt ans. L'endroit est souvent bondé, tous les vendredis et les fins de semaine. L'ambiance est plutôt festive mais il demeure toujours possible de trouver un coin pour discuter au petit salon du troisième si vous avez l'âme plus philosophe. Sinon la promenade d'étage en étage vous permettra de choisir le style musical qui vous convient.

Berri-UQAM Metro, corner Emery. Open every day.

With its four floors, 8 bars, disco and music to satisfy all tastes, the Saint-Sulpice has become the place to be in the Latin Quarter. UQAM students have come here for the past

20 years. The place is hopping every Friday and on weekends. The ambience is mostly festive but it's always possible to find a quiet spot to chat in the little salon on the third floor—if you are more in the mood for philosophising. If not, wander the floors to discover the style of music you'd prefer.

EL ZAZ BAR
4297, Saint-Denis
(514) 288-9798

Métro Mont-Royal, angle Marie-Anne. Ouvert tous les jours 15h-3h. Tarifs entrée (à partir de 21h30): dim-mer 2 $, jeu-sam 5 $.

Après le succès obtenu avec El Zazium, un restaurant mexicain parmi les plus beaux et originaux en ville, quoi de plus normal que d'ouvrir un bar, pour finir la soirée en beauté. Et, là aussi, c'est une réussite ! Forcément, avec une déco aussi sympa, la foule se précipite. On vient aussi pour la qualité de l'ambiance et de la musique. Car, ici, on danse tous les soirs, même en début de semaine. Les clés de cette fiesta garantie ? L'éclectisme musical proposé chaque soir par de talentueux DJ : musique latine mais aussi disco, techno et électro chauffent la piste enflammée dès 22h !

Mont-Royal Metro, corner Marie-Anne. Open every day 3pm-3am. Cover (after 9:30pm):

Sun-Wed $2, Thurs-Sat $5.
After the success of El Zazium, one of the most original Mexican restaurants in the city, what else to do but to open a bar to finish the night off right? And here, again, is one of the best. The friendly décor draws the crowds, as do the ambience and the music. There is dancing every night, even at the beginning of the week. The key to this guaranteed fiesta? Ecclectic music spun each night by the talented DJs: Latin music, but also disco, techno and electronica heat up the dance floor every night after 10pm.

DISCOTHÈQUES / DISCOS

LIVING
4521, Saint-Laurent
(514) 286-9986
www.livingnightclub.com
Métro Mont-Royal. Angle Mont-Royal. Ouvert du mercredi au dimanche de 21h à 3h. Entrée toujours 10$ sauf jeudi 4$. Tous les jeudis aussi : tous les shooters vodka orange ou canneberge à 1$.
Ancien musée converti en banque, l'édifice aux allures de temple grec qui abrite le Living avait tout pour séduire de nouveaux promoteurs. Ceux-ci ont créé un club pour les jeunes branchés avec trois étages, dont le majestueux premier à plafond haut où l'on retrouve d'immenses colonnes. 3 étages, 3 DJ, 3 ambiances, et plein de monde à la mode, voilà en quelques mots le Living. Tenue correcte exigée. Le jeudi, le club est fréquenté surtout par les étudiants, le vendredi par le 18-22 ans et le samedi par les 23-30 ans.
Mont-Royal Metro, corner Mont-Royal. Open Wed-Sun 9pm-3am. Cover always $10, except Thursdays $4. Every Thursday: orange or cranberry vodka shooters $1.
A museum turned into a bank, the building reminiscent of a Greek temple now housing the Living has it all to attract new promoters. They have created a hip club of 3 floors, the first with the high ceiling boasts immense columns. 3 floors, 3 DJs, 3 ambiences, and tons of beautiful people—this is the Living in a nutshell. Proper attire required. Thursdays, the club hosts mostly students, Fridays 18-22 year-olds, and Saturday 23-30 year olds.

CLUB JUICE
3603 Saint-Laurent
(514) 282-3332
www.juicenightclub.ca
Métro Sherbrooke, coin Prince Arthur.
Un club intime, décoré avec goût. On apprécie les open bar assez réguliers pour les filles. Au niveau des platines on écoutera du R&B, de la House et du hip hop.
Sherbrooke Metro, corner Prince Arthur.
An intimate club, tastefully decorated. You'll appreciate the fairly regular Open Bar for the girls. In terms of music, you'll hear R&B, house and hip hop.

COCO BONGO
3781 Saint- Laurent
(514) 844-7169
Métro Sherbrooke, coin Prince Arthur.
Ouvert les jeu, ven et sam de 22h à 3h.
8 $ le jeu, 10 $ ven et sam.
Un club fréquenté par une foule assez jeune (autour de 18 ans) attirée par les trois ambiances présentes en même temps, sur un même lieu : Hip Hop, R&B et House. En été, les clubbers profitent de la terasse.
Sherbrooke Metro, corner Prince Arthur. Open Thurs-Sat 10pm-3am. Thurs $8, Fri-Sat $10.
A club with a pretty young clientele (around 18) pulled in by the three ambiences available at the same time, in the same place: hip hop, R&B and house. In summer, clubbers enjoy the terrace.

ELECTRIC AVENUE
1469, Crescent
(514) 285-8885
Métro Peel. Angle de Maisonneuve. Ouvert du jeudi au samedi de 22h à 3h. L'entrée est de 5$ le jeudi et
de 6$ le vendredi et samedi.
La clientèle du Electric Avenue se distingue de celle des autres clubs de la rue Crescent : elle est majoritairement francophone, pas trop snob, et plutôt jeune. La foule envahit la place à chacun des trois soirs. Le secret est probablement la musique des années 80 qui conserve toujours ses fans. Une fois l'endroit

BON PLAN/GOOD PLAN

STEVEN (514) 815 3145
WWW.NIGHTLIFEATTITUDE.COM

EN VOUS INSCRIVANT SUR CE SITE OU EN CONTACTANT STEVEN, VOUS POUVEZ VOUS INSCRIRE SUR DES GUEST LIST, CE QUI PERMET DE RENTRER GRATUITEMENT EN BOITE !

BY SUBSCRIBING TO THIS WEBSITE OR CONTACTING STEVEN, YOU CAN GET YOUR NAME PUT ON GUEST LISTS, WHICH WILL GET YOU INTO THE CLUBS FREE!

bien rempli, on s'amuse franchement dans cette belle salle aux reflets bleus électriques.
Peel Metro. Corner de Maisonneuve. Open Thurs-Sat 10pm-3am. Cover: Thurs $5, Fri-Sat $6.
The clientele of Electric Avenue is different from that of the other clubs on Crescent: it's mostly francophone, not too snobby, and young. The crowd overwhelms the place every night it's open. The secret is probably in the '80s music that always has its fans. Once the place really gets going, you will have a great time in this huge space with the electric blue reflection.

UPPER CLUB
3519, Saint-Laurent
(514) 285-4464
www.upperclub.tv
Métro Sherbrooke. Ouvert lun, jeu, ven, sam. Entrée : 10 $.
De bons DJ de House animent cette discothèque. On y entend aussi des petites touches de R&B. Bref, la musique du moment. Ambiance assez classe.
Sherbrooke Metro. Open Mon, Thurs-Sat. Cover: $10.
Good house DJs get this disco moving. You can also hear some R&B—i.e. the music of the moment. Classy ambience.

737
1, place Ville-Marie. Niveau PH2, suite 4340.
(514) 397-0737
Ouvert ven et sam. Entrée :12 $.
Le 737 est renommé pour sa magnifique terrasse ouverte en été, sur laquelle on danse en regardant les étoiles. C'est une clientèle plutôt à la fin de la vingtaine qui fréquente le 737 en été alors que la moyenne d'âge est plus jeune en hiver. Tout au long de l'année, la musique est de la danse, du hip hop, et du R&B.
Open Fri-Sat. Cover: $12.
The 737 is renowned for its magnificent terrace open in summer, where you can dance under the stars. A late-twenties crowd enjoys the 737 in summer, whereas younger people come during the winter. All year round, you'll hear dance music, hip hop, R&B.

CLUB LA BOOM
1254, Stanley
(514) 866-5463
www.clublaboom.montreal.com
Métro Peel. Entre Saint Catherine et De Maisonneuve. Ouvert jeu, ven, sam. Entrée : 12 $.
Un club bien sympathique, avec quatre salles réparties sur deux étages. Différents styles de musique suivant les salles : R&B, House, électro…
Peel Metro. Between Saint-Catherine and de Maisonneuve. Open Thurs-Sat. Cover: $12.
A friendly place, with 4 rooms on 2 floors. Different styles of music in each room: R&B, house, electronica…

LOFT
1405, Saint-Laurent
(514) 281-8058
Métro Saint-Laurent. Angle Sainte-Catherine. Ouvert les mardis (4$), jeudis (8$), vendredis et samedis (6$) dès 21h.
Cette discothèque, divisée en deux hémisphères, a tout pour plaire à ceux qui aiment offrir une alternative musicale à leur soirée. Deux pistes de danses, deux ambiances. D'un côté, la dance ou la house music ; de l'autre, différents styles passant du pop rock au son grunge. De plus, les soirées varient selon les thèmes : le mardi, place au rock alternatif et trash ; le jeudi, la boisson est à 1,25$; le vendredi, c'est la soirée des dames jusqu'à 23h. Une clientèle étudiante nombreuse et fidèle semble s'accommoder de cette variété de styles et de thèmes. Une file d'attente se forme vers 22h30 la fin de semaine.

Saint-Laurent Metro.
Corner Sainte-Catherine. Open Tues ($4), Thurs ($8), Fri-Sat ($6) at 9pm.
This disco, divided into two hemispheres, has everything to please those who want a musical alternative for the evening. Two dance floors, two different atmospheres. On one side, dance or house, on the other, different styles, from pop and rock to grunge. Plus, different nights have themes: Tues—alternative rock and trash, Thurs—drinks are $1.25, Friday—Ladies' Night until 11pm. The student clientele is numerous and loyal and adapts well to the variety of styles and themes. A line up forms around 10:30pm weekends.

TOKYO
3709, Saint-Laurent
(514) 842-6838
www.tokyobar.com
Métro Sherbrooke. Angle rue des Pins. Ouvert du jeudi au dim de 22h à 3h. Le prix d'entrée varie de 4 $à 10$.
Louangé par le magazine américain Maxime comme étant LA discothèque par excellence à Montréal, le Tokyo est, en effet, un lieu très branché où affluent les jeunes filles sexy, et les jeunes hommes qui aiment les filles sexy ! La fin de semaine, le succès est tel que les cartes d'identité sont obligatoires ; l'âge exigé est de 21 ans. Pas question non plus d'exhiber nos souliers Nike ni les espadrilles. On n'accepte que la crème de la crème. Cette crémeuse clientèle semble se réjouir de la diversité musicale du club car chaque soirée offre son genre musical différent. R&B, hip hop, drum&bass, musiques latines, house et funk se succèdent, avec chaque soir, un choix de deux salons, donc de deux ambiances.
Sherbrooke Metro, corner des Pins. Open Thurs-Sun 10pm-3am. Cover $4-10.
Lauded as the quintessential LA-style disco in Montreal by the American magazine Maxime, Tokyo is a hip hotspot filled with young, sexy women and young guys who love young sexy women. On the weekends, the place is so packed that everyone gets carded—you have to be 21 and over to get in. And you won't get away with sneakers or sandals. Only the crème de la crème may enter. This creamy clientele enjoys the musical variety, because each night has its own musical style: R&B, hip hop, drum&bass, Latin music, house and funk follow one another, and each night has two rooms with two different styles and ambiences.

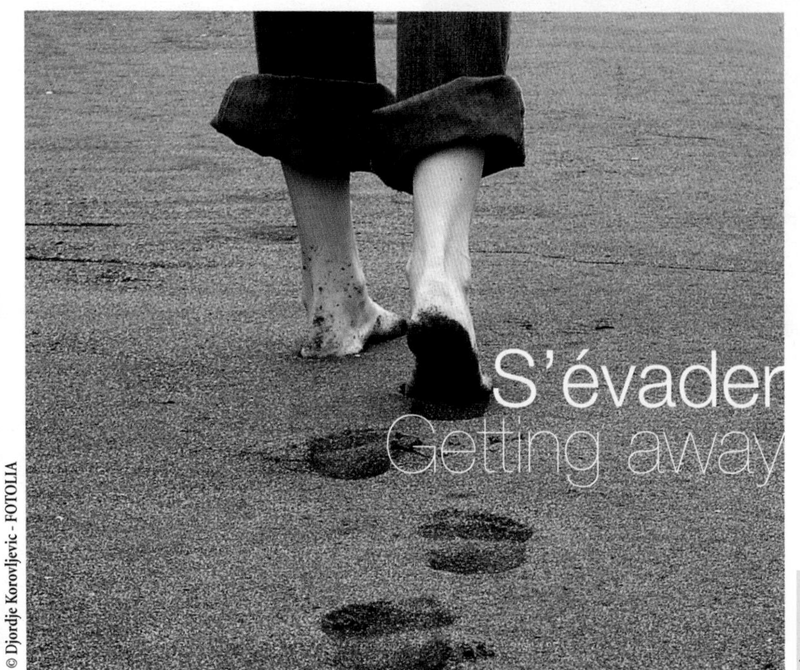

© Djordje Korovljevic - FOTOLIA

ENVIE D'UN GRAND BOL D'AIR FRAIS OU D'UNE EXCURSION AU CŒUR D'UNE VIEILLE VILLE QUI RAPPELLE ÉTRANGEMENT L'EUROPE ? NOUS VOUS FAISONS PARTAGER NOS COUPS DE COEUR. CETTE LISTE N'EST, BIEN ENTENDU, PAS EXHAUSTIVE. IL Y A TANT DE CHOSES À FAIRE AUTOUR DE MONTRÉAL !

DYING TO GET SOME FRESH AIR OR TO TRAVEL TO THE HEART OF AN OLD CITY THAT STRANGELY REMINDS YOU OF EUROPE? HERE ARE SOME OF OUR FAVOURITE SPOTS. THIS SHORT LIST WILL GET YOU STARTED—THERE ARE TONS OF THINGS TO DO AROUND MONTREAL!

EXCURSIONS COURTES / SHORT TRIPS

EXCURSION A QUÉBEC / TRIP TO QUEBEC CITY

Située à 2h30 de Montréal, la ville de Québec est une escapade incontournable ! En une fin de semaine, vous aurez le temps de vagabonder dans les rues chargées d'histoire, de faire le tour du Château Frontenac et de visiter la magnifique galerie d'art inuit Brousseau. Les expositions temporaires du Musée de la civilisation présentent en général un grand intérêt. Le soir, ne ratez pas l'animation de la rue Saint-Jean et les boîtes de nuit sur Grande Allée.

Located 2.5 hours from Montreal, Quebec City is an unbeatable escapade! For a weekend, you can wander the streets seething with history, take the tour of the Château Frontenac and visit the magnificient Brousseau Inuit Art Gallery. The temporary exhibitions at the Museum of Civilisation are usually worth seeing. At night, don't miss the action on Saint-Jean Street and the clubs on the Grande Allée.

DORMIR/SLEEPING

AUBERGE INTERNATIONALE DE QUÉBEC / QUEBEC INTERNATIONAL HOSTEL
19, Sainte-Ursule
(418) 694-0755
www.cisq.org
Tarif de base pour une nuit en dortoir : à partir de 22 $ la nuit pour les membres de la FUAJ, 26 $ pour les non-membres, hors taxes.

© Marco Van Belleghem - FOTOLIA

Cette auberge de jeunesse, dans le centre historique, vient d'être remise à neuf. Les dortoirs sont propres et confortables. Des excursions sont organisées par le personnel de l'auberge. Une très bonne adresse !

Dorm per night: $22 min. per night for members of the FUAJ, $26 for non-members, taxes not included.

This hostel in the historic centre has just been renovated. The dorms are clean and comfortable. The staff organise outings. A very good address !

S'Y RENDRE / TO GET THERE

Avec Allostop (voir encadré) ou en bus (depuis la gare centrale de Montréal, métro Berri-UQAM. (514) 842-2281)

With Allostop (see frame) or by bus (from Montreal's Central Station, Berri-UQAM Metro. (514) 842-2281)

S'INFORMER / TO FIND OUT MORE

www.quebecregion.com

Site internet de la ville de Québec.

Website for Quebec City.

A LIRE / TO READ

City guide Québec. Éditions du Petit Futé. 11,95 $. Disponible dans toutes les grandes libraires.

City Guide Québec. Éditions du Petit Futé. $11.95. Available in all major bookstores.

EXCURSION A MONT TREMBLANT/ TRIP TO MONT TREMBLANT

Le parc national du Mont Tremblant, à moins de deux heures de Montréal, enchantera les amateurs de nature et de grand air. Le village en bas des pistes vous fera sûrement penser à Disneyland ! Le Vieux Tremblant a su conserver plus de cachet. En hiver, profitez des pistes de la station de ski, réputée pour ses compétitions de haut niveau (mais que vous risquez de trouver achalandée et dispendieuse). Le village se trouvant dans le plus grand parc naturel du Québec, les activités ne manquent pas : baignade, canot camping, pêche, randonnée, vélo ...

Mont Tremblant National Park, less than 2 hours away from Montreal, will enchant nature lovers. The village at the bottom of the ski runs will definitely remind you of Disneyland ! Old Tremblant has managed to retain its cachet. In winter, enjoy the ski runs, renowned for its high level competitions (but you risk finding the place packed and expensive). The village is located in the biggest nature park in Quebec, with plenty of activities: swimming, canoe camping, fishing, hiking, cycling...

DORMIR/SLEEPING

AUBERGE DE JEUNESSE / YOUTH HOSTEL

2214, Chemin du village

(819) 425-6008 ou 1 866-425-6008

www.hostellingtremblant.com

Nuit en dortoir : à partir de 24 $ pour les membres, 28 $ pour les non-membres.

Jolie auberge de jeunesse, située au bord d'un lac. En été, on peut se baigner, faire du canot, louer des vélos, etc. Navette toutes les heures pour le centre du village.

Dorm per night: $24 min. for members, $28 for non-members.

Lovely youth hostel, located next to a lake. In summer, you can swim, canoe, rent bicycles, etc. A shuttle goes to the village centre every hour.

S'Y RENDRE / TO GET THERE

Avec Allostop (voir encadré) ou en bus (depuis la gare centrale de Montréal, métro Berri-UQAM. (514) 842-2281)

With Allostop (see frame) or by bus (from Montreal's Central Station, Berri-UQAM Metro. (514) 842-2281)

S'INFORMER / TO FIND OUT MORE

www.tourismemonttremblant.com

Site internet de l'office de tourisme

Website of the tourism office

www.sepaq.com

Site internet de la Société des établissements de plein air du Québec

Website for the Société des établissements de plein air du Québec

EXCURSION A OTTAWA/ TRIP TO OTTAWA

La capitale nationale du Canada abrite deux grands musées, parmi les plus intéressants du pays : le Musée des civilisations où l'art des autochtones est très bien mis en valeur et le Musée des beaux-arts. L'ambiance chaleureuse du marché et des pubs, la visite du Parlement font d'Ottawa un bon lieu de séjour pour une fin de semaine.
The national capital of Canada is home to two of the most interesting museums in the country: The Museum of Civilisation, featuring First Nations' art, and the National Gallery of Canada. The warm ambience of the market and the pubs and a visit to Parliament make a trip to Ottawa perfect for a weekend.

DORMIR / SLEEPING

AUBERGE DE JEUNESSE / YOUTH HOSTEL
75, Nicholas
(613) 235-2595
www.hihostels.ca
A partir de 22,05 $ la nuitpour les membres et 26,25 $ pour les non-membres.
Une auberge tout à fait unique puisqu'elle se situe dans les murs d'une ancienne prison ... On raconte même que les fantômes des condamnés y errent encore. Bref, on vous garantit un séjour pas comme les autres !
$22.05 min. per night for members, $26.25 for non-members.
A unique hostel located in an old prison... Thrill to stories about the ghosts of the condemned who still walk the halls... A trip unlike any other, guaranteed!

S'Y RENDRE / TO GET THERE

En bus, compter 46 $ l'aller retour avec le tarif spécial étudiant.
Renseignements : gare centrale de Montréal, métro Berri-UQAM.
(514) 842-2281)
$45 by bus return with the student discount. For info: Montreal's Central Station, Berri-UQAM Metro. (514) 842-2281

S'INFORMER / TO FIND OUT MORE

www.ottawatourism.ca
Site internet de l'office de tourisme.
Website of the tourism office.

TORONTO ET LES CHUTES DU NIAGARA/ TORONTO AND NIAGARA FALLS

Toronto, la plus grande ville du pays, jouit d'un dynamisme économique fort enviable. Ses musées et diverses attractions, dont la tour CN, combinés avec les chutes du Niagara (environ 1h30 en autobus) méritent un séjour d'une fin de semaine prolongée (3 ou 4 jours).
Toronto, the biggest city in the country, enjoys an impressive amount of economic activity. Its museums and many attractions, like the CN tour, combined with Niagara Falls (about 1.5 hours away by bus), require a long weekend (3-4 days).

DORMIR/SLEEPING

AUBERGE DE JEUNESSE A TORONTO / YOUTH HOSTEL IN TORONTO
76, Church
(416) 971-4440 – 1 877-848-8737
www.hihostels.ca
A partir de 25 $ la nuit en dortoir pour les membres, 29,38 $ pour les non-membres. La terrasse sur le toit et son barbecue ne nous laissent pas indifférents !
Dorm per night: $25 min. for members, $29.38 for non-members. The roof-top terrace and the barbecue are enticing!

AUBERGE DE JEUNESSE DES CHUTES DU NIAGARA / YOUTH HOSTEL NIAGARA
4549, Cataract
(905) 357-0770
www.hihostels.ca
A partir de 18,90 $ la nuit en dortoir pour les membres, 23,18 $ pour les non-membres. Une ambiance bohème, dans cette auberge pas loin des chutes.
Dorm per night: min. $18.90 for members, $23.18 for non-members. A bohemian ambience in this hostel not far from the falls.

S'Y RENDRE / TO GET THERE

En bus, compter 102,37 $ l'aller-retour pour Toronto avec le tarif spécial étudiant. (Renseignements : gare centrale de Montréal, métro Berri-UQAM. (514) 842-2281) Pour Niagara, les bus partent régulièrement et le trajet dure 2 heures.
By Bus : $102.37 return for Toronto, with the student discount. (Info: Montreal's Central Station, Berri-UQAM Metro. (514) 842-2281). For Niagara, the bus leaves regularly, and the trip takes about 2 hours.

ALLO STOP

4317, SAINT-DENIS
(514) 985-3032
WWW.ALLOSTOP.COM

OUVERT LUN, MAR, SAM ET DIM DE 9H À 18H ET MER, JEU ET VEN DE 9H À 19H.

VOYAGER AVEC ALLOSTOP, C'EST CHOISIR UNE FAÇON ÉCONOMIQUE, ÉCOLOGIQUE ET CONVIVIALE DE SE DÉPLACER DANS LA PROVINCE DE QUÉBEC. LE PRINCIPE EST SIMPLE : ALLOSTOP MET EN CONTACT AUTOMOBILISTES ET VOYAGEURS SE RENDANT À LA MÊME DESTINATION. L'ASSOCIATION COMPTE 60 000 MEMBRES : AUTANT DIRE QUE ÇA FONCTIONNE BIEN. UNE PREUVE ? SI VOUS SOUHAITEZ VOUS RENDRE À QUÉBEC EN FIN DE SEMAINE COMME PASSAGER, IL EST PRESQUE CERTAIN QUE VOUS TROUVEREZ UN AUTOMOBILISTE DANS VOTRE CRÉNEAU HORAIRE. LE FONCTIONNEMENT DE L'ASSOCIATION EST SIMPLE : VOUS PAYEZ UNE COTISATION ANNUELLE DE 6 $. ENSUITE, POUR CHAQUE VOYAGE, VOUS RÉSERVEZ PAR TÉLÉPHONE ET VOUS VOUS RENDEZ AU BUREAU POUR PAYER QUELQUES DOLLARS À ALLOSTOP. VOUS VERSEREZ D'AUTRES FRAIS AU CONDUCTEUR. AU TOTAL, UN ALLER POUR QUÉBEC VOUS COÛTERA 16 $, POUR SHERBROOKE 11 $ ET POUR SAGUENAY 32 $. BEAUCOUP D'AUTRES DESTINATIONS SONT PROPOSÉES. LE SERVICE N'EST VALABLE QU'AU QUÉBEC (DONC PAS POSSIBLE DE L'UTILISER POUR L'ONTARIO).

OPEN MON-TUES & SAT-SUN 9AM-6PM, THURS-FRI 9AM-7PM.

TRAVELLING WITH ALLOSTOP IS A CHEAP, ECOLOGICAL AND SOCIAL WAY TO GET AROUND QUEBEC. THE PRINCIPLE IS SIMPLE : ALLOSTOP MATCHES UP CAR DRIVERS AND TRAVELLERS WITH THE SAME DESTINATION. THE ASSOCIATION HAS 60 000 MEMBERS, WHICH IS ANOTHER WAY OF SAYING IT WORKS! THE PROOF ? IF YOU WANT TO GET TO QUEBEC CITY FOR THE WEEKEND AS A PASSENGER, IT'S ALMOST FOR SURE THAT YOU'LL FIND A DRIVER WHOSE PLANS FIT YOUR TIME SLOT. THE WAY IT WORKS IS SIMPLE: YOU PAY A SUBCRIPTION FEE OF $6. THEN, FOR EACH TRIP, YOU RESERVE BY PHONE AND GO TO THE OFFICE TO PAY ALLOSTOP A FEW BUCKS. YOU PAY THE DRIVER FOR THE OTHER EXPENSES. THE TOTAL FOR A TRIP TO QUEBEC CITY IS $16, SHERBROOKE $11 AND SAGUENAY $32. MANY OTHER DESTINATIONS ARE AVAILABLE. THE SERVICE IS ONLY VALID IN QUEBEC (SO IT'S NOT POSSIBLE TO USE IT TO GET TO ONTARIO).

S'INFORMER / TO FIND OUT MORE

www.torontotourism.com/visitor
Site internet de la ville de Toronto.
Website for the City of Toronto.
www.niagaraparks.com
Site internet consacré à Niagara.
Website for Niagara.

PARCS DES ÎLES DE BOUCHERVILLE/ PARKS OF THE BOUCHERVILLE ISLANDS

(450) 928-5088
www.sepaq.com/ilesboucherville
Prix d'entrée : 3,50 $.
A quelques kilomètres seulement du centre-ville de Montréal, ce parc national est une vraie merveille. Outre l'observation de la nature, des castors et des cerfs de Virginie, on peut y faire du ski de fond en hiver, du canot et des pique-niques en été ou encore du vélo.
Admission: $3.50.
A few kilometres from downtown Montreal, this national park is a real marvel. Aside from observing nature, beavers and Virginian deer, you can cross country ski in the winter, and canoe, picnic and cycle in the summer.

VACANCES/ VACATIONS

Vous avez besoin d'un petit voyage pour vous reposer, vous dorer au soleil et ne souhaitez pas vous endetter pour les 20 prochaines années ... Alors, fiez-vous à ces agences spécialisées dans les voyages pour étudiants.
Need a little trip to rest and relax, brown in the sun and don't want to get into debt for the next 20 years?...Place your trust in these agencies which specialise in trips for students.

VOYAGES CAMPUS
5 succursales, dont une dans chaque université
(514) 864-5995 ou 1 866-832-7564
www.travelcuts.com

Ouvert du lundi au vendredi de 9h-17h.
Ça voyage dans ces bureaux ! Le service n'en demeure pas moins attentif aux moindres volontés des étudiants. L'agence négocie directement les meilleurs prix avec les lignes aériennes. Malgré la queue au comptoir, on prend le temps de conseiller. En y achetant la carte ISIC, vous ferez des économies sur les tarifs ferroviaires et aériens, et bien d'autres surprises. Possibilité de réserver des circuits et des nuits dans les auberges de jeunesse.
5 locations, one at each university
Open Mon-Fri 9am-5pm
These offices really bustle! The service is attentive to even the most financially challenged student traveller. The agency negotiates directly with the airlines for the best price. Despite the line-ups at the counter, the agents take the time to advise you. By buying an ISIC card, you will save on train and plane tickets, as well as other benefits. It is possible to reserve tours and nights in youth hostels.

TOURISME JEUNESSE
205, Mont Royal E
(514) 844-0287
www.tourismejeunesse.org
Métro Mont-Royal. Ouvert du lun au mer de 10h à 18h, le jeu et ven de 10h à 21h, le sam de 10h à 17h et le dim de 12h à 17h.
Cet organisme à but non lucratif vise à promouvoir le voyage et à le rendre plus accessible. La découverte commençant en bas de chez soi, Tourisme Jeunesse gère l'excellent réseau québécois d'auberges de jeunesse de Hostelling International. Mais, voyager, c'est aussi aller loin ! Donc, on peut se procurer des billets d'avion et des séjours pour les destinations internationales, à des prix avantageux. Tourisme Jeunesse organise régulièrement des conférences pour ceux qui veulent en savoir plus sur l'Europe, l'Amérique du Sud ... Leur boutique montréalaise vend des accessoires de voyages, des guides, des sacs à dos et divers matériel de camping. L'organisme publie le magazine Müv, en partenariat avec Voyages Campus. Distribué gratuitement, il publie des reportages et des conseils rédigés par des voyageurs.
Mont-Royal Metro. Open Mon-Wed 10am-6pm, Thurs-Fri 10am-9pm, Sat 10am-5pm, Sun noon-5pm.
This not-for-profit organisation's aim is to promote travelling and make it more accessible. The discovery starts at home, because Tourisme Jeunesse manages an excellent network of Hostelling International youth hostels in Quebec. But travelling also

© Jeff Clow - FOTOLIA

means going further abroad! You can get good deals on plane tickets and trips for international destinations. Tourisme Jeunesse regularly organises lectures for those who'd like to know more about Europe, South America...Their Montreal shop sells travelling accessories, guides, knapsacks and all kinds of camping gear. The organisation publishes the magazine Müv, in partnership with Voyages Campus. Available for free, it publishes reports and advice for travellers.

VOYAGER DIFFÉREMMENT / A DIFFERENT KIND OF TRAVEL

SWAP

Renseignement auprès des agences de Voyage Campus, présentes dans toutes les universités.

www.swap.ca

Les courts séjours ne vous suffisent plus ? Alors, faites le grand saut et partez travailler à l'étranger ! SWAP vous propose des formules d'encadrement pour vous aider à partir et à trouver du travail une fois sur place. Avec cette formule, découvrez, entre autres, l'Afrique du Sud, les États-Unis, la Nouvelle-Zélande, l'Autriche, l'Australie, la France, etc. Certes, l'emploi n'est pas fourni, mais les conseils pour en dénicher un sont nombreux et utiles. Le forfait comprend en général le visa, l'hébergement sur place pour les premiers jours, une conférence sur le pays d'accueil et l'accès au centre SWAP sur place où vous trouverez téléphone, fax, internet.

Information available from Voyages Campus, located on or near all the university campuses.

Short trips don't satisfy you? Well, take the big leap and go work abroad! SWAP provides a number of different formulas to help you take off and find work once you arrive. With this formula, discover South Africa, the United States, New Zealand, Austria, Australia, France, etc. Certainly, employment is not provided, but advice on how to find something is plentiful and useful. The package includes travel visa, accommodation for the first few days, a lecture about the host country and access to the SWAP Centre in the host country where you will find a telephone, fax and internet access

BAIGNADE ET ACTIVITÉS NAUTIQUES / SWIMMING AND NAUTICAL ACTIVITIES

ANSE À L'ORME

Angle Gouin O et ch. de l'Anse-à-l'Orme

(514) 280- 6871

Parc de 88 hectares situé à l' ouest de l'île de Montréal, face au lac des Deux Montagnes. L'endroit parfait pour les amateurs de planche à voile et de dériveur grâce aux vents dominants d'ouest. Aucune baignade sur le site.

88-hectare park located west of Montreal Island, facing the Lake of Two Mountains. The perfect spot for windsurfing and sailing because of the western winds. No swimming on site.

BOIS-DE-L'ÎLE-BIZARD

2115, ch. du Bord-du-Lac, L'Île-Bizard

(514) 280-8517

Parc de 201 hectares composés principalement d'érablières, de cédrières et de marais. Baignade, cyclisme, pêche et randonnée pédestre peuvent être pratiqués. Belvédère, quai, rampe de mise à l'eau, aires

de pique-nique et restauration sur place.
201-hectare park with maples, cedar trees and marshes. Swimming, cycling, fishing and hiking are available. Lookout, pier, boat ramp, picnic spots and restaurants on site.

PLAGE D'OKA / OKA BEACH

www.sepaq.com

Pour y accéder : prendre l'autoroute 13 ou 15 Nord jusqu'à l'autoroute 640 Ouest et ensuite, prendre la route 344 Ouest. Environ 1h de route.

Accès possible avec le train de banlieue connecté à une navette qui conduit à l'entrée du parc. Renseignement au : (450) 479-8365. Située dans un parc naturel, la plage d'Oka attire les foules durant les chaudes journées d'été. Un joyeux mélange de personnes du monde entier (Italiens, Roumains, Français et Québecois bien sûr !) s'y retrouve pour faire un barbecue et se baigner dans le lac des Deux-Montagnes.

To get there: take Autoroute 13 or 15 North to Autoroute 640 West, then take Route 344 West. About 1 hour.

Access is also possible by commuter train and shuttle, which brings you to the park entrance. For information: (450) 479-8365. Located in a natural park, Oka Beach attracts crowds on the hot days of summer. A joyous bunch of people from around the world (Italians, Romanians, French and Quebecois, obviously!) have a barbecue and a swim in the Lake of Two Mountains.

CAP-SAINT-JACQUES

20 099, Gouin O, Pierrefonds

(514) 280-6871

Un parc de 288 hectares au point de rencontre de la rivière des Prairies et du lac des Deux-Montagnes. Sur place, une ferme écologique (514-280-6743), une cabane à sucre, une grande plage, un centre de plein air ainsi que deux bâtiments d'intérêt historique. Location d'embarcations, rampe de mise à l'eau, aires de pique-nique et restauration sur place. Nombreux produits du terroir en vente.

288-hectare park at the junction of the des Prairies River and the Lake of Two Mountains. The home of an ecological farm (514-280-6743), a cabane à sucre (for "sugaring off"), a huge beach, an outdoor centre and two historical buildings. Boat rentals, boat ramps, picnic areas and restaurants on site. Many local products for sale.

PARC JEAN-DRAPEAU / JEAN-DRAPEAU PARK

(514) 872-6120

www.parcjeandrapeau.com

Métro Jean-Drapeau. Les Montréalais y affluent durant la saison chaude pour profiter des plaisirs de la plage, de la piscine et du centre nautique. Un réseau de sentiers de randonnées pédestre et cyclable parcourt les deux îles. Aires de pique-nique et restauration sur place.

Jean-Drapeau Metro. Montrealers congregate here during the warm months to take advantage of the beach, pool and Water Sports Pavilion. A network of hiking and cycling trails criss-cross both islands. Picnic areas and restaurants on site.

PARC DE LA RIVIÈRE-DES-MILLE-ÎLES / DES-MILLE-ÎLES RIVER PARK

345, boul. Sainte-Rose, Laval

(450) 622-1020

www.parc-mille-iles.qc.ca

Tout le charme du Parc de la Rivière-des-Mille-Îles réside dans son caractère naturel. Un site parfait pour la pratique de canot, kayak et randonnée. Plusieurs îles sont accessibles et aménagées avec des sentiers et des aires de pique-nique. Durant la saison estivale, randonnées guidées, croisières et location d'embarcations nautiques (dont le fameux rabaska qui peut contenir jusqu'à 10 personnes !) sont au rendez-vous.

The charm of the park can be ascribed to its natural state. A perfect place for canoeing, kayaking and hiking. Many islands are accessible and arranged with paths and picnic areas. During the summer, guided hikes, cruises and boat rentals (including the famous rabaska with room for 10!) are offered.

JET BOATING MONTRÉAL / SAUTE-MOUTONS

47, de la Commune O

(514) 284-9607

www.jetboatingmontreal.com

Métro Champ-de-Mars. Billetteries au Quai de l'Horloge et au Quai Jacques-Cartier.

Ouvert de mai à octobre, 7 jours. 11h-18h. Jet St-Laurent : la balade se résume à 20 minutes de poursuites riches en émotions dans de petits bateaux à haute vitesse capables d'effectuer des virages à 360°. Départs toutes les 1/2h au Quai Jacques-Cartier. Tarifs : adulte 25$. Rafting : pour ceux qui veulent encore plus se mouiller. Départs tous les 2h au Quai de l'Horloge.

Plage d'Oka © johan.batier@sympatico.ca

Tarifs : adulte 60$. Les combinaisons étanches (fournies) ne sont pas un luxe superflu.
Champ-de-Mars Metro. Ticket booths at the Clock Tower Pier and the Jacques Cartier Pier. Open May to October, 7 days a week. 11am-6pm. Jet boating: The run promises 20 minutes of thrills in these little high-speed boats that can turn 360°. Departure every ? hour from the Jacques Cartier Pier. Adults: $25. Rafting: For those who want to get even wetter. Departure every 2 hours from the Clock Tower Pier. Adults: $60.

LES DESCENTES SUR LE SAINT-LAURENT/ DESCENDING THE SAINT LAWRENCE
8912, boul. Lasalle, Lasalle
(514) 767-2230
www.raftingmontreal.com
Métro Angrignon, bus 110. Ouvert de mai à septembre 7 jours 9h-18h. Tarifs rafting : adulte 40$, jet-boating 48$.
La descente des rapides de Lachine à bord de rafting ou en hydrojet représente une belle activité de fin de semaine. Rafraîchissante et amusante, l'aventure en rafting dure 2h15, le temps nécessaire pour se faire asperger en toute sécurité par les gros bouillons et observer les oiseaux. On fournit tout l'équipement nécessaire. Le stationnement est gratuit et une navette est disponible depuis le centre-ville, devant le Centre Infotouriste au 1001, Carré Dorchester (il faut impérativement réserver).
Angrignon Metro, Bus 110. Open May-September, 7 days a week, 9am-6pm. Rafting: Adults $40, Jet-Boating: $48.
Descending the Lachine Rapids on a raft or hydrojet is a great weekend activity. Refreshing and fun, the rafting adventure lasts 2 hours, 15 minutes, the time needed to get totally soaked in total safety and to birdwatch. All equipment is provided. Parking is free and a shuttle is available from downtown, in front of the Tourist Information Centre at 1001 Dorchester Square (you absolutely must reserve).

SKIER AU QUÉBEC / SKIING IN QUEBEC

Amateurs de sports d'hiver, préparez-vous ! Les hivers longs et froids - comme vous le savez ! - sont parfaits pour profiter des pistes de skis de descente et de ski de fond. Depuis Montréal, on accède en voiture aux premières pistes en une heure. Pour des montagnes moins achalandées, mieux vaut aller un peu plus long. Voilà une liste, non exhaustive, des coordonnées de quelques stations. Sur place, vous achèterez la passe pour la journée et pourrez louer du matériel. Certaines stations offrent des prix spéciaux pour les étudiants. Pour la passe d'une journée, les prix varient beaucoup d'une station à l'autre. Comptez entre 36 et 60 $ pour le ski de descente, le tiers pour le ski de fond.

Winter sports fanatics, get ready! The long, cold winters—as you know—make perfect downhill and cross country ski trails. By car from Montreal you can access the nearest trails in an hour. For mountains off the beaten track (and less groomed), you might want to travel a bit further. Here's a list of selected spots with their location info. Once there, you can buy a day pass and rent equipment. Certain resorts offer student specials. For a day pass, prices vary from one resort to another. Figure $36-60 for downhill, and a third of that for cross country.

BROMONT
www.skibromont.com
Située dans les Cantons de l'Est, à moins de 2h de Montréal, cette station est très bien enneigée. 72 pistes, dénivelé de 405 m, ski de soirée, zone libre avec sauts, manège, rails table top et quarter pipe. Prix intéressants pour les étudiants.
Located in the Eastern Townships, under 2 hours from Montreal, this resort is well

© Noé Rouxel - FOTOLIA

stocked with snow. 72 runs, 405 m elevation, night skiing, chairlift, and the Free Zone Alpine Park with jumps, quarter-pipe and table-top. Interesting rates for students.

LE MASSIF

www.lemassif.com

Le massif de la Petite-Rivière-Saint-François est reconnu comme étant la plus belle montagne skiable du Québec, en raison de sa vue superbe sur la fleuve. Les pistes sont très agréables, pas trop achalandée. Le seul hic : c'est à plus de 3h de Montréal !

The Massif of Petite-Rivière-Saint-François is renowned as the most beautiful skiable mountain in Quebec because of its breathtaking view of the river. The trails are very pleasant, not overly groomed. The only problem: it's more than 3 hours from Montreal!

MONT SAINTE ANNE

www.mont-sainte-anne.com

Le plus grand domaine skiable en ski de fond, des longues pistes, superbement entretenues, dans un beau cadre. Niveau ski alpin, on ne s'ennuiera pas non plus ! Le domaine se trouve à côté de la ville de Québec.

The biggest skiable area for cross country: long trails, beautifully maintained, in a beautiful setting. For downhill, it's not bad either! Located next to Quebec city.

MONT TREMBLANT

www.tremblant.ca/montagne

Une des stations les plus célèbres, très prisées par les Américains. Niveau ski, on apprécie la grandeur du domaine : 94 pistes, 645 m de dénivellation, ski de soirée et snowpark. Par contre, il y a beaucoup de monde et les prix sont élevés.

One of the most popular resorts, prized by Americans. As for the skiing, you'll love the sheer size of it: 94 trails, 645 m elevation, night skiing and snowpark. On the other hand, there's tons of people and the rates are high.

SAINT SAUVEUR

www.mssi.ca

Idéal pour les pressés qui veulent se rendre au plus vite sur les pistes ! C'est une des stations les plus proches de Montréal. 38 pistes, 213 m de dénivelé, ski de soirée, snowpark.

Perfect for those in hurry to hit the trails! One of the resorts closest to Montreal. 38 trails, 213 m elevation, night skiing, snowpark.

© Valérie Koch - FOTOLIA

JEUX D'AVENTURE / ADVENTURE GAMES

PAINT BALL

Equipé d'un fusil à peinture et de ses recharges, votre but est de recouvrir vos adversaires de couleur, sans vous faire toucher. Autant dire qu'il faut aimer courir. Les terrains sont aménagés pour que vous puissiez vous cacher et que l'adrénaline monte.
Armed only with a paint gun and refills, your goal is to saturate your adversaries with colour, without getting a spot on you. Needless to say, you have to love running. The fields have been altered so that you can hide yourself, guaranteeing a major adrenaline rush.

ARNOLD PAINT BALL
8132, Jean Brillon, Lasalle
Pour le circuit extérieur : 474, Covey Hill, dans la région de Hemmingford, à proximité du Parc Safari.
(514) 592-5117
www.arnoldpaintball.com
Métro Angrignon bus 113. Visa, Mastercard, American Express & Interac. Tarifs forfaits : De 37 à 150 $ selon le nombre de balles (de 100 à 1 000). Terrain extérieur disponible du 1er avril au 30 novembre.
Deux circuits sont disponibles, un à l'intérieur, l'autre à l'extérieur. A l'intérieur, dans des bâtiments sur deux étages, vous vivrez une expérience des plus marquantes, dans un décor du Far West. Les amoureux du paint ball pourront aussi tenter l'expérience extérieure qui est tout simplement inoubliable. A condition que l'on aime combattre en pleine nature, ramper sous les buissons, traverser les rivières, forteresses, villages, courir dans le bois…Bref, 14 aménagements différents, de quoi ne pas s'ennuyer. Non sportifs, abstenez-vous,
car la journée risque de vous épuiser !
For the outside field: 474 Covey Hill, in the Hemmingford area, near Park Safari.
Angrignon Metro, Bus 113. Visa, Mastercard, American Express & Interac. Packages: $37-$150 depending on the number of bullets (from 100 to 1000). The outdoor field is available from April 1 to November 30.
Two fields are available, one indoors and one outdoors. Indoors in two-storey buildings decorated to recreate the Far West, you will experience something incredible. Lovers of

Crédit photo : © Darcy Finley - FOTOLIA

paint ball can also attempt the outdoor experience, which is simply unforgettable. If you love to combat in nature, crawling under the bushes, crossing rivers, fortresses, villages, running in the woods…With 14 different layouts, you won't get bored. Couch potatoes might be best to stay away, because the day will tire you out!

PAINT BALL MIRABEL
(450) 660-6635 ou/or 1-800-551-JEUX.
www.paintballmirabel.com
Prix : de 30 à 300 $ la partie. Réservez un mois à l'avance pour les fins de semaine. A proximité de Saint-Sauveur. Pour avoir les directions, aller sur le site internet ou téléphoner.
25 terrains de jeux mis à disposition pour le Paint Ball. Que vous préfériez jouer dans une ambiance urbaine, dans la forêt, dans une forteresse ou dans des tranchées, vous trouverez ici votre bonheur. On s'y amuse de jour comme de nuit, à l'intérieur ou à l'extérieur.
$30-$300 a game. Reserve a month in advance for weekends. Near Saint-Sauveur. Consult the website or call for directions.
25 playing fields are available for paint ball. Whether you prefer to play in an urban setting, in the forest, in a fortress, or in the trenches, you will find what you came for. You can play day or night, indoors or outdoors.

KARTING

CIRCUIT 500
SPEED KARTING
5592, Hochelaga E
(514) 254-4244
www.circuit500.com
Métro l'Assomption, angle l'Assomption. Tous les jours 24h/24. Tarifs : à partir 20 $ la course. Forfaits disponibles pour plusieurs courses et pour les groupes dans ce plus grand centre de karting intérieur du pays.
Les fous de voitures, de vitesse et d'adrénaline apprécieront faire des tours de pistes dans ce complexe de karting bien équipé.
On organise des tournois, des challenges, des classements … De quoi motiver les plus performants à y retourner !
L'Assomption Metro, corner l'Assomption. Every day, all day. Starting at $20 a course. Packages available for many courses and for groups at this, the largest indoor karting centre in the country.
Car, speed and adrenaline junkies will appreciate going around the track in this well-equipped karting complex.
Circuit 500 organises tournaments, challenges, classifications… Whatever will motivate the best to return.

JEUX LASER / LASER GAMES

Armé d'un fusil laser, votre but est de tirer sur l'équipe adverse, sans vous faire toucher, bien entendu ! On joue dans des espaces plutôt sombres, dans lesquels on peut se cacher et épier son adversaire …
Armed with a laser gun, your aim is to shoot at the opposite team, without getting hit yourself, obviously! You play in the dark, all the better to hide yourself and take aim…

LASERDÔME
6900, Décarie
1-888-489- 3663 / (514) 344-3663
www.megadome.ca
Métro Namur, bus 160, 17 ou 92. Ouvert 7 jours/7 de 10h-21h. Possibilité de louer la salle au complet après la fermeture. Visa, Mastercard, American Express, Diner's & Interac. Voisin de l'hippodrome. Tarifs : 10 $ pour 30 min. Multiples forfaits pour les anniversaires, familles …
Les lasers se criblent sur les joueurs protégés d'une veste multi-sensorielle et munis d'un pistolet digne de Robocop. Soyez prêts à vous terrer et à courir le marathon pour désactiver la base adverse et cumuler ainsi le maximum de points !
Namur Metro, Bus 160, 17 or 92. Open 7 days a week from 10am-9pm. It's possible to rent the room after closing hours. Visa, Mastercard, American Express, Diner's & Interac. Next to the Hippodrome. $10 for 30 min. Packages for anniversaries, families…
Lasers bombard players protected by a multi-sensory vest and armed with a pistol worthy of Robocop. Be ready to hit the ground and run a marathon to disactivate the enemy base and accumulate the most points!

LASER QUEST
1226, Sainte-Catherine O/W
(514) 393-3000
www.laserquest.com
Métro Peel. Mer-jeu 17h-21h, ven 16h-23h, sam 12h-23h, dim 12h-18h. Ouvertures spéciales pendant les vacances. Visa, Mastercard, American Express, Diner's, JCB & Interac. Tarifs : 8 $ pour une partie de 25 minutes. Réservation 7j/j 24h/24.
Le terrain de jeu occupe trois étages de superficie. Muni d'un laser et d'une veste au design anti-bombe, on se terre contre un mur, et on essaie de s'en sortir. Le joueur incarne un personnage de jeu-vidéo. Il sait que le jeu prend fin quand il ressent une vibration transmise par sa veste révolutionnaire.
Peel Metro. Mon-Sun 5p-9pm, Fri 4pm-11pm, Sat 12pm-11pm, Sun 12pm-6pm. Holiday hours. Visa, Mastercard, American Express, Diner's, JCB & Interac. $8 for a game of 25 minutes. Reservations 7 days/week, 24hrs/day.
A 3 floors game space. With a laser gun and a coat designed anti-bomb, you protected yourself behing a wall and try not to be touched. The player is a video-game person. You know when the game finishes because the vest vibrates.

CULTURE SUR LE CAMPUS / CAMPUS CULTURE

Vous pourriez passer des années sur les bancs de l'école sans vous ennuyer une seconde, que vous soyez inscrit ou non dans une des universités de Montréal. Le programme des activités culturelles proposé par les universités se caractérise par sa variété et sa qualité. Cliquez sur le programme de la journée sur un des sites web d'une université et vous verrez tout ce qui s'offre à vous : expos, films, concerts, conférences …
You can spend years on the benches without getting bored one second, whether or not you are registered at one of the universities in Montreal. The universities present a high quality and great variety of cultural activities. Click on the daily program one of the schools' websites and you'll see what they have to offer: exhibitions, movies, concerts, lectures…

CALENDRIER DES ACTIVITÉS DU JOUR / DAILY ACTIVITY CALENDAR

Tous ceux, étudiants ou non, qui veulent se rendre à une conférence, un concert, un film, peuvent consulter le programme sur les sites internet suivants :
Everyone, student or not, who wants to attend a lecture, concert or movie may look at the program on the following websites:

www.mcgill.ca/calendar

www3.concordia.ca/events

© Université Concordia, Montréal.

www.uqam.ca
[Puis cliquez sur événements]
[Then click on Events]

www.umontreal.ca
[Puis cliquez sur calendrier dans le cadre Actualités]
[Then click on the calender in the "Actualités" box]

A CONCORDIA / AT CONCORDIA

UNIVERSITÉ CONCORDIA -BUREAU DES ÉTUDIANTS / CONCORDIA UNIVERSITY STUDENT SERVICES

CAMPUS LOYOLA
7141, Sherbrooke O/W Salle AD 121 (514) 848-2424, poste 4239.
CAMPUS SIR GEORGE WILLIAMS
1455, de Maisonneuve O/W Room H 653 (514) 848-2424, poste 3517
http://deanofstudents.concordia.ca
Réservé aux étudiants de Concordia.
Ce bureau des étudiants chapeaute les diverses associations étudiantes et conseille sur les façons de monter la sienne. C'est là que l'on s'inscrit à la radio étudiante, à Amnesty International, au club de jeux, à la télévision étudiante, au groupe des auteurs, à l'association des étudiants russes, etc.
Reserved for Concordia students.
Student Services is the umbrella for the various student associations. They also help you set up your own. Here you can sign up for the student radio station, Amnesty International, the games club, the student television station, the writers' group, the Russian Students' Association, etc.

OSCAR PETERSON CONCERT HALL

7141, Sherbrooke O/W
(514) 848-4848.
http://oscar.concordia.ca
Métro Vendôme, puis bus 105. Prix : selon les concerts, certains sont gratuits, d'autres coûteront jusqu'à 50 $. Réductions pour les étudiants. Ouvert à tous.
La salle de concert de Concordia accueille les prestations des étudiants en musique de l'université mais aussi d'artistes extérieurs. Surtout de la musique classique et du jazz.
Vendome Metro, then Bus 105. Prices depend on the concert. Some are free, others might cost up to $50. Student prices. Open to all.
The concert hall of Concordia hosts presentations by Concordia Music students as well as artists from outside the university. Mostly classical and jazz.

GALERIE D'ART LEONARD ET BINA ELLEN

Bibliothèque J W McConnell.
1 400, de Maisonneuve O/W
(514) 848-2424 poste 4750
http : //ellengallery.concordia.ca
Métro Guy-Concordia. Ouvert à tous du mar au sam de 12h à 18h. Entrée libre.
Beaucoup d'art contemporain, venu principalement du Canada, et une présence de jeunes artistes émergents. Des visites guidées sont organisées les mardis, jeudis et samedis. Le programme de la galerie inclut des conférences, des projections de films et de vidéos.

Guy Concordia Metro. Free admission.
Open to all Tues-Sat 12pm-6pm.
Mostly contemporary art, primarily from Canada, and work by young, emerging artists. Guided visits are offered Tuesdays, Thursdays and Saturdays. The gallery also programs lectures, film screenings and videos.

A McGILL / AT McGILL

ASSOCIATION DES ÉTUDIANTS DE L'UNIVERSITÉ MCGILL (AEUM) / STUDENTS' SOCIETY OF MCGILL UNIVERSITY (SSMU)

Pavillon Brown, 3 600, McTavish, #1200
(514) 398-6800.
www.ssmu.ca
Bureau ouvert du lundi au vendredi de 9h à 17h. Réservé aux étudiants de McGill.
L'association des étudiants de l'université McGill est le relais de plus de 300 associations. Certains clubs sont ouverts aux personnes de l'extérieur. Ainsi, que vous souhaitiez rencontrer des gens d'une autre culture (Brésil, Bangladesh, Caraïbe ...), que vous cherchiez à vous engager politiquement (Amnesty International, Coalition pour la libération de la Birmanie ...) ou faire du sport (échec, athlétisme, ski) vous pouvez aller sur le site web de l'AEUM pour trouver les coordonnées de votre association de prédilection.
The office is open Mon-Fri 9am-5pm. Reserved for McGill students.
The Students' Society of McGill University is the meeting point of more than 300 associations. Certain clubs are open to people from outside the university. So, if you want to meet people from other cultures (Brazil, Bangladesh, the Caribbean...), get involved politically (Amnesty International, the Free Burma Coalition...) or participate in sports (checks, competitive sports, skiing) you can go to the SSMU website to find the contact information for the association of your choice.

FACULTÉ DE MUSIQUE DE MCGILL / MCGILL FACULTY OF MUSIC

SALLE TANNA SCHULICH :
527, Sherbrooke O/W
Metro McGill
SALLE REDPATH :
Campus principal de McGill/
McGill's Main Campus
Accès via porte Mc Tavish /
Access via door on McTavish
Metro Peel
SALLE POLLACK :
555, Sherbrooke O/W
www.mcgill.ca/music/events/concerts
Beaucoup de concerts sont gratuits. Sinon, compter 20 $ max. Billetterie ouverte du lundi au vendredi de 12h à 17h et une heure avant le concert (514 398-4547). Ouvert à tous.
La faculté de musique de l'Université McGill offre à petits prix des prestations de haute qualité. De septembre à mai, les étudiants ainsi que les professeurs nous font profiter de leur répertoire, allant de la musique classique au jazz en passant par l'opéra. En juin, c'est au tour des petits et des grands élèves du

© Université McGill, devant le musée Redpath.

Conservatoire de musique de McGill de nous ravir par leur talent.

Many of the concerts are free. If not, figure $20 max. The box office is open Mon-Fri 12pm-5pm and one hour before the concert (514 398-4547). Open to all.

The Music Faculty of McGill University offers presentations of high quality for low prices. From September to May, students as well as professors treat us to their repertoire, from classical to jazz via opera. In June, the McGill Conservatory of Music students, great and small, delight us with their talent.

MUSÉE REDPATH / REDPATH MUSEUM

Université McGill, 859, Sherbrooke O/W
(514) 398-4086
www.mcgill.ca/redpath

Métro McGill, ouvert du lun au jeu (été) du lun au ven (hiver) entre 9h et 17h, le dimanche entre 13h et 17h. Fermé le samedi.

Ateliers découvertes le dimanche pour s'initier à l'histoire naturelle. Un grand et beau musée d'archéologie, d'égyptologie et d'art africain sur le campus.

McGill Metro, open Mon-Thurs (Summer), Mon-Fri (Winter), 9am-5pm, Sun 1pm-5pm. Closed Saturdays.

Discovery workshops about natural history on Sundays. A large, beautiful archeology museum, with Egyptian and African art on campus.

A L'UNIVERSITÉ DE MONTRÉAL / AT THE UNIVERSITÉ DE MONTRÉAL

LE SERVICE DES ACTIVITÉS CULTURELLES / CULTURAL ACTIVITIES CENTRE

Pavillon J.A.-De Sève, 2332,
Edouard-Montpetit, 2e étage, C-2524
(514) 343-6524
www.sac.umontreal.ca

Métro Édouard-Montpetit.

La cité universitaire de l'UdeM a créé sa propre effervescence culturelle. Les étudiants comme le grand public peuvent s'inscrire à des cours touchant l'art visuel, la danse, la musique, l'astronomie, l'informatique, les langues, la création littéraire, le théâtre, le cinéma, la vidéo ou la photo. L'excellent rapport qualité-prix des cours de théâtre, photo et vidéo ont rendu ces ateliers très populaires.

Edouard-Montpetit Metro.

U of M's university campus has created its own cultural dynamism. The students as well as the greater public can sign up for courses in the visual arts, dance, music, astronomy, computers, languages, creative writing, theatre, cinema, video or photography. The excellent quality/price ratio for the theatre, photography and video courses have made them very popular.

GÉNÉRALES OUVERTES À L'OPÉRA DE MONTRÉAL

RENSEIGNEMENTS : (514) 985-2258

INITIATION GRATUITE À L'OPÉRA. TROIS SOIRÉES PAR ANNÉE, L'OPÉRA DE MONTRÉAL INVITE LES ÉTUDIANTS DE MOINS DE 25 ANS À ASSISTER GRATUITEMENT À LA RÉPÉTITION GÉNÉRALE D'UN SPECTACLE. UNE OCCASION À NE PAS MANQUER.
UN CONSEIL DE THOMAS LENOIR, ÉTUDIANT EN MAÎTRISE AUX HEC.

OPEN OPÉRA DE MONTRÉAL DRESS REHEARSALS

INFORMATION: (514) 985-2258
FREE INITIATION TO OPERA. THREE NIGHTS A YEAR, THE OPERA DE MONTREAL INVITES STUDENTS UNDER 25 TO WATCH THE DRESS REHEARSAL OF A SHOW. AN EVENT NOT TO BE MISSED.
A RECOMMENDATION BY THOMAS LENOIR, MASTER'S STUDENT AT THE HEC.

CINÉ-CAMPUS DE L'UNIVERSITÉ DE MONTRÉAL

2332, rue Édouard-Montpetit, Pavillon J.A.-DeSève, 6e étage
(514) 343-6524
www.sac.umontreal.ca
Métro Édouard-Montpetit. Représentation en général en milieu de semaine. Prix étudiant : 4 $, grand public : 5 $. 200 places.
Le grand écran de l'UdeM diffuse un nouveau film, quasiment chaque semaine. On y écoute des films précédemment sortis sur les écrans québécois et internationaux.
Edouard-Montpetit Metro.
Screenings generally in the middle of the week. Students $3, Public $4. Seating for 200. U of M shows a new film pretty much every week on its big screen. You can see movies recently released in Quebec and internationally.

CENTRE D'ESSAI ET STUDIO DE L'UNIVERSITÉ DE MONTRÉAL

2332, Edouard-Montpetit, Pavillon J.A.-DeSève, 6e étage
(514) 343-6111, poste 4691.
Métro Édouard-Montpetit. Entrée: 5-10$. Ouvert à tous.
La programmation permet d'assister, environ quatre fois par session, à des pièces de théâtre, des comédies musicales et autres manifestations rarement portées sur une scène grand public.
Edouard-Montpetit Metro. Admission $5-10. Open to all.
The programme offers, about 4 times a session, plays, musicals and other performances rarely seen on the grand stages.

CENTRE D'EXPOSITION / EXHIBITION SPACE

Pavillon de la faculté de l'Aménagement, 2940, Côte-Ste-Catherine, local 0056
(514) 343-6111 poste 4694
www.expo.umontreal.ca
Métro Université de Montréal. Mardi, mercredi, jeudi et dimanche, de 12h à18h. Entrée libre.
Le centre d'exposition de l'Université de Montréal se veut un lieu interdisciplinaire. S'y sont succédé des expositions touchant des disciplines aussi variées que les sciences humaines, les arts, les mathématiques… Le but est de souligner l'interdépendance entre différents domaines, soit par le biais de l'exposition elle-même, soit à travers des activités
Université de Montréal Metro. Tues-Thurs & Sun 12pm-6pm. Free admission.
The U of M Exhibition Space is an interdisciplinary venue. Exhibitions have touched on such diverse disciplines as social sciences, arts, math… The aim is to emphasis the interdependence of the different areas of endeavour, either in the presentation of the exhibition, or in the activities programmed around it.

SALLE CLAUDE CHAMPAGNE

Pavillon de la Faculté de musique, 200, Vincent-d'Indy
(514) 343-6427
www.musique.umontreal.ca
Métro Édouard-Montpetit. Entrée 10$ maximum.
Les grandes représentations de la Faculté de musique se déroulent sur cette scène. La qualité acoustique, la beauté de la salle et la vue qu'elle offre sur Montréal en font un lieu incontournable pour les mélomanes.
www.musique.umontreal.ca Edouard-Montpetit Metro. Admission $10 maximum.

The large-scale presentations of the Faculty of Music unfold on this stage. The excellent acoustics, the beauty of the space and the view it offers of Montreal make this venue a must for music lovers.

CENTRE DE DESIGN/ DESIGN CENTRE

1440, rue Sanguinet, coin Sainte-Catherine
(514) 987-3395
www.centrededesign.uqam.ca
Ouvert du mercredi au dimanche, inclus, de midi à 18h.

Avis aux amateurs de nouveautés ! Ici, place à la création d'objets futuristes qui risquent bien de finir dans votre salon… Le centre du design de Montréal est consacré à la promotion et à la reconnaissance du design. Pour ce faire, il présente des expositions qui illustrent les tendances historiques et actuelles dans les domaines du design graphique, industriel, urbain, de l'architecture et de la mode. Ce centre a acquis une réputation internationale et accueille des expositions venant du monde entier.

Wed-Sun 12pm-6pm.

Warning to lovers of the new! The futuristic objects created here may very well end up in your living room… The Design Centre of Montreal is dedicated to promoting and recognising design. It presents exhibitions which illustrate historical and current trends in the areas of graphic, industrial, urban, architectural and fashion design. This centre has acquired an international reputation and hosts exhibitions from around the world.

GALERIE D'ART / ART GALLERY

Pavillon Judith Jasmin
1400, Berri, local J R 120
(514) 987-8421
www.galerie.uqam.ca
Métro Berri-UQAM.
Ouvert du mardi au samedi, de 12h à 18h.

Une galerie d'art contemporain venu d'ici et d'ailleurs et, notamment, de l'ancienne école des beaux-arts de Montréal. De nombreuses expositions y sont organisées. Parmi celles-ci: des œuvres des étudiants finissants de l'UQAM.

Berri-UQAM Metro.Tues-Sat 12pm-6pm.

A contemporary art gallery with work from

Musée des beaux-arts de Montré
Pavillon Michal et Renata Hornste
© Brian Mere

here and elsewhere, and, notably, from the old Montreal School of Fine Arts. Many exhibitions are organised, including works by UQAM's graduating students.

THÉÂTRE UQAM / UQAM THEATRE

Pavillon Judith Jasmin. 405, Sainte-Catherine E
3 salles de représentation / 3 performance spaces :

- **Studio-théâtre Alfred Laliberté. Local JM 400**
- **Salle Marie Gérin-Lajoie. Local J-M 4 000**
- **Studio d'essai Claude Gauvreau. Local J-M 400**

Billetterie/Box Office : (514) 987-3456
www.estuqam.ca
Billets : autour de 4 $.

Les salles de représentation affichent souvent complet. Les étudiants de l'École Supérieure de Théâtre de l'UQAM, qu'ils mettent en scène la pièce ou qu'ils y figurent en tant qu'acteurs, savent attirer du monde. Environ six spectacles sont organisés par session et chacun est représenté cinq fois. Pour le programme, voir sur la page d'accueil du site internet.

Tickets around $4.

The performance are often sold out. The students of UQAM's École Supérieure de Théâtre, whether they are directing or acting in the play, know how to attract a crowd. Approximately six shows are organised each session and each is presented five times. To find the program, consult the "Welcome" page on their website

DÉPARTEMENT DE LA VIE ASSOCIATIVE / ASSOCIATION LIFE DEPARTMENT

Pavillon J A DeSève. Local DS 2310
et Pavillon Sherbrooke Local SH R515
(514) 987-3579
www.uqam.ca/vie-associative

Ce département coordonne les renseignements et les activités des

Musée des beaux-arts de Montréal
Pavillon Jean-Noël Desmarais
© Christine Guest

associations des étudiants de l'UQAM. C'est là qu'ils demandent des aides pour créer leurs associations, organiser des stands, des fêtes, ou tout autre type d'événements.
This department coordinates the information about and activities of the students at UQAM. Here they get help to create associations, organise booths, parties, or any other kind of event.

MUSÉES / MUSEUMS

Montréal compte de nombreux musées abordant son histoire, ses traditions, son architecture. Nous n'évoquerons que les deux principaux, considérant que les amateurs trouveront les autres sans problème.
Montreal has a number of museums focusing on its history, traditions and architecture. We will mention the two main museums, given that museum lovers will find the others without difficulty.

MUSÉE DES BEAUX-ARTS DE MONTRÉAL/ MONTREAL MUSEUM OF FINE ART
1379, Sherbrooke O/W
(514) 285-1600
www.mbam.qc.ca
Métro Guy-Concordia + bus 24. Ouvert du mar au dim de 11h à 17h et le mer jusqu'à 21h. Entrée libre aux collections du musée. Pour les expositions temporaires : 15 $ et 7,5 $ pour les étudiants.
Ce musée est réputé pour ses expositions au succès international telles que « Picasso érotique », « Hitchcock et l'art », « de Dürer à Rembrandt » ou encore « Riopelle ». La collection permanente est très intéressante. Plus de 30 000 objets forment une des collections les plus riches d'Amérique du Nord: antiquités, tableaux de maîtres européens du Moyen Âge à nos jours (Memling, Mantegna, Rembrandt, Monet, Cézanne, Matisse, Picasso, Dali…), art contemporain (Robert Rauschenberg, Alexander Calder, Riopelle…). La collection d'art canadien est exceptionnelle : peintures, sculptures, arts décoratifs retraçant l'histoire du Canada, de la Nouvelle-France à nos jours. Enfin, à ne pas manquer, la collection d'arts

Musée d'Art Contemporain de Montréal

décoratifs regroupant 700 objets et couvrant plus de six siècles de design.

Guy-Concordia Metro, Bus 24. Tues-Sun 11am-5pm, Wednesdays until 9pm. Temporary exhibitions: Adults $15, Students and Seniors $12. Wednesdays: half-price admission. Free admission to the permanent collections.

This museum has gained a reputation for its international successes, such as exhibitions such as "Picasso érotique," "Hitchcock and Art," "From Dürer to Rembrandt" and "Riopelle." The permanent collection is also worth seeing. More than 30 000 objects make up one of the most extensive collections in North America: antiques, paintings by the European masters from the Medieval period to today (Memling, Mantegna, Rembrandt, Monet, Cezanne, Matisse, Picasso, Dali…), contemporary art (Robert Rauschenberg, Alexander Calder, Riopelle…). The collection of Canadian art is exceptional: paintings, sculpture, decorative arts tracing the history of Canada, from New France to now. Not to be missed is the collection of decorative arts, comprising 700 items and covering six centuries of design.

MUSÉE D'ART CONTEMPORAIN / MONTREAL MUSEUM OF CONTEMPORARY ART

185, Sainte-Catherine O/W

(514) 847-6226

www.macm.org

Métro Place-des-arts. Mar-dim 11h-18h, mer 11h-21h, fermé le lundi. Entrée : 8 $, étudiants 4 $, gratuit le mercredi de 18h à 21h.

Ce très beau centre d'art contemporain accueille de nombreuses expositions chaque année. L'art contemporain québécois y est mis en avant régulièrement. Toutes les formes d'expressions artistiques sont représentées, des arts visuels à l'art conceptuel en passant par la photo, la peinture et la sculpture.

Place-des-arts Metro. Tues-Sun 11am-6pm, Wed 11am-9pm, closed Monday. Admission $8, Students $4, free Wed 6-9pm.

This excellent centre of contempary art presents many exhibitions each year. Contemporary Quebec art is presented regularly. Other forms of visual expression are also on display, from visual arts to conceptual art via photography, painting and sculpture.

© PhotoEuphoria - FOTOLIA

PRENDRE SOIN DE SON ALIMENTATION / SOME ADVICE ABOUT GOOD NUTRITION

Bien manger et pour pas cher, ce n'est pas sorcier ! Il suffit de prendre certaines bonnes habitudes. Voici quelques recommandations pour améliorer son alimentation et pour préparer des repas équilibrés, sans y passer trop de temps.

Par Dina Merhbi,
diététiste auprès des étudiants de l'Université McGill

Eating well and cheaply is not magic! It's simply a question of adopting good habits. Here are a few suggestions for improving your nutrition and preparing balanced meals that won't take up too much time.

By Dina Merhbi,
dietician for McGill University students

LES 10 ÉTAPES D'UNE BONNE ALIMENTATION / 10 STEPS TO GOOD NUTRITION

1- MANGEZ ÉQUILIBRÉ

Avoir au moins un aliment des groupes suivants à chaque repas :
+ Pains et céréales: nourrissent votre cerveau et vous donnent de l'énergie instantanée.
+ Protéines (viandes et substituts ou produits laitiers): rassasient, ce qui aidera à diminuer vos fringales
+ Légumes et fruits : aident à rester en santé, et les vitamines B contribuent à diminuer le stress !

1- EAT WITH BALANCE

Have a least one serving from the following food groups at each meal:
+ Breads and grains: nourrishing for your brain, while providing instant energy.
+ Proteins (meats and substitutes or dairy products): filling, which will cut down on over-snacking
+ Fruits and vegetables: helping you to stay healthy, and B vitamins reduce stress!

2- NE JAMAIS MANQUER UN REPAS/ NEVER SKIP A MEAL

Prendre 3 repas par jour aide à garder votre énergie stable durant la journée et à mieux se concentrer. Aussi, c'est essentiel pour maintenir un bon poids.

2- NEVER SKIP A MEAL

Eat 3 meals a day to keep your energy stable during the day and to help you concentrate better. Also, eating three squares is essential for maintaining a healthy weight.

....

3-PRENEZ LE TEMPS DE MANGER

C'est important parce qu'il faut 15 à 20 minutes au cerveau savoir que votre estomac est plein. Donc, rien de mieux que de manger assis, avec ses amis !

3-TAKE THE TIME TO EAT

This is important because it takes 15-20 minutes for your brain to realise that your stomach is full. So, there's nothing better than sitting down to eat with friends!

....

4-BUVEZ DE L'EAU

Être bien hydraté permet de diminuer la taille de vos portions aux repas et vos envies de sucre. Optez pour de l'eau au lieu des jus et des boissons gazeuses, qui sont riches en sucres et en caféine.

4-DRINK WATER

Being well hydrated will help you reduce the size of your portions at meals and your sugar cravings. Choose water instead of juice or soft drinks, which are high in sugar and caffeine.

....

5-PREPAREZ-VOUS À L'AVANCE

+ Faites des plats pour 4 à 6 personnes et congelez-les. Pourquoi ne pas cuisiner avec des amis?
+ Prenez une journée la fin de semaine pour faire l'épicerie.
+ Lavez, coupez et égouttez les légumes à l'avance pour la semaine et placez-les dans un contenant sans eau.

5-PREPARE IN ADVANCE

+ Make enough food for 4-6 servings and freeze it. Why not cook with friends?
+ Take a day on the weekend to do your grocery shopping.
+ Wash, cut and drain your vegetables for the week and put them in a container without water.

....

6- MANGEZ BEAUCOUP DE LÉGUMES

Un repas équilibré devrait contenir 50 % de légumes. Vous pouvez faire une soupe qui durera plusieurs jours (ou même en acheter une toute faite), mangez de la laitue, des légumes cuits ou crus ... Bref, c'est possible !

6-EAT A LOT OF VEGETABLES

A balanced meal should be 50% vegetables. You can make a soup that will last for days (or even buy one ready made), eat lettuce, cooked or raw vegetables... In short, it's possible!

....

7-N'OUBLIEZ PAS VOS COLLATIONS

Les collations vous aideront à maintenir votre énergie entre les repas et à diminuer les portions au prochain repas.

7-DON'T FORGET YOUR SNACKS

Planned snacks will help you to maintain your energy between meals and will reduce the portions of the next meal.

....

8-LIMITEZ VOS REPAS AU FAST-FOOD

Méfiez-vous notamment des chaînes de burgers et des restos rapides chinois (trop de sel, trop de gras et peu d'éléments nutritifs). Attention aussi aux pizzas qui contiennent beaucoup de gras et peu de bonnes choses. Et mieux vaut limiter la poutine...

8-LIMIT FAST-FOOD MEALS

Don't trust the burger chains and fast-food Chinese restaurants (too much salt and fat and not enough nutrition). Watch out for pizzas that contain too much fat and not enough good stuff. And it's better to limit your poutine intake...

....

9- FAITES VOS PROPRES DESSERTS

Il vaut mieux faire ses propres desserts : gâteaux, muffins, brownies … Même la poudre dans laquelle on ajoute de l'eau pour faire ses gâteaux est meilleure au niveau nutritif que les gâteaux de restaurants et cafés. En effet, ceux-ci sont souvent très gros, très sucrés et très gras. Certains muffins contiennent autant de calories qu'un big mac !

9-MAKE YOUR OWN DESSERTS

It's better to make your own desserts: cakes, muffins, brownies…Even cake made from a mix is better nutritionally than the cakes in restaurants and cafés. These are usually huge, sugary and fattening. Certain muffins contain as many calories as a big Mac!

……………………………………

10- FAITES DE L'EXERCICE

Voir p.91 pour la liste des salles de sport de votre université. Il vaut mieux faire du sport régulièrement et moins à la fois que beaucoup par coups. En faire trois fois par semaine est l'idéal. Marcher, au lieu de prendre le transport en commun, est un très bon début.

10- EXERCISE

See p.91 for the list of the sports facilities at your university. It's better to do a sport regularly for a shorter amount of time than a lot of activity once in a while. Being active three times a week is ideal. Walking instead of taking public transportation is a good start.

……………………………………

EXEMPLES DE BONS REPAS FACILES À PRÉPARER / EXAMPLES OF EASY, HEALTHY MEALS

Déjeuner/Breakfast
Bol de céréales avec du lait et des fruits secs, sandwich au beurre d'arachide avec un fruit, une barre granola avec un fromage et un fruit.
A bowl of cereal with milk and dried fruit, a sandwich with peanut butter and fruit, a granola bar with cheese and fruit.

Dîner/Lunch
Un pita au poulet avec une salade, salade de thon avec des croûtons ou des craquelins, soupe aux légumes avec des craquelins et du fromage.
A chicken pita with salad, tuna salad with croutons or crackers, vegetable soup with crackers and cheese.

Souper/Dinner
Une casserole avec des pâtes, du thon et du fromage, des mets sautés aux légumes et poulet sur un lit de riz ou de pâtes, omelettes (2 oeufs, légumes, oignons) avec des légumes et 2 tranches de pain.
A casserole with pasta, tuna and cheese, sauteed vegetables and chicken on a bed of rice or pasta, omelettes (2 eggs, vegetables, onions) with vegetables and 2 slices of bread.

Collations/Snacks
Un yogourt avec un fruit, une tranche de pain avec du beurre d'arachide ou du fromage, soupe aux légumes avec du fromage, un chocolat chaud fait avec du lait, une barre granola avec des amandes.
Yogourt with fruit, a slice of bread with peanut butter or cheese, vegetable soup with cheese, hot chocolate made with milk, a granola bar with almonds.

PROVISIONS UTILES À GARDER EN TOUT TEMPS / USEFUL SUPPLIES TO HAVE AT ALL TIMES

Au congélateur: pain au blé entier, bagels, légumes, viandes/volailles/poissons, mets faits maisons.
In the freezer: whole wheat bread, bagels, vegetables, meat/poultry/fish, homemade food.

Au réfrigérateur : fromage, lait et yaourt en portions individuelles, légumes (coupés et dans un contenant hermétique), fruits.
In the fridge: cheese, milk, yogourt in individual portions, vegetables (cut and in sealable container), fruit.

Dans les armoires : barres granolas, fruits secs, salade de fruits/compote de fruits,

biscuits aux figues/dattes, poisson en conserve (dans de l'eau), noix et graines (dans un contenant en plastique), céréales, galettes de riz, craquelins, sauce à spaghetti, pâtes, riz, soupes, lentilles, fèves rouges, gruau, contenants hermétiques.
In the cupboards: granola bars, dried fruit, fruit salad or compote, fig or date cookies, canned fish (in water), nuts and grains (in plastic containers), cereals, rice cakes, crackers, spaghetti sauce, pasta, rice, soups, lentils, kidney beans, oatmeal, sealable containers.

PERDRE DU POIDS : LES BONNES RAISONS, LES BONNES MÉTHODES / LOSING WEIGHT: THE RIGHT REASONS, THE RIGHT WAY

Avant d'entreprendre un régime, il est essentiel de s'interroger sur ses motivations. Vous cherchez à perdre du poids pour être plus apprécié par vos proches ? Etes-vous sûrs qu'ils vous aimeront plus pour cela ? Et, si oui, la minceur est-elle un bon critère d'amitié ou d'amour ? Améliorer son estime de soi ne passe pas nécessairement par un régime. Certaines méthodes seront plus efficaces (faire du sport, de la danse, porter des vêtements confortables et pas trop serrés, être soutenu par ses amis, sa famille, au besoin un psychologue).
Par contre, si vous souhaitez mincir pour être en meilleure santé (avoir plus de souffle, moins de cholestérol), voilà une bonne motivation ! Dans ce cas-là, pour mincir, fixez-vous des objectifs réalistes, respectez les 10 conseils énoncés ci-dessus et faites du sport. Si ça ne fonctionne pas, n'hésitez pas à consulter une diététiste. McGill et l'Université de Montréal disposent de diététistes pour leurs étudiants. Pour les élèves des autres écoles ou universités, adressez-vous au service de santé de votre école et université, ou à un CLSC proche de chez vous.
Si vous pensez avoir un trouble alimentaire (alimentation compulsive, boulimie, anorexie), n'hésitez pas à consulter un professionnel (diététiste ou psychologue). Ce n'est pas très onéreux quand on est étudiant car l'assurance-maladie étudiante en rembourse une bonne partie. Des groupes anonymes permettent de s'exprimer sur le sujet. Pour cela, allez sur le site de l'association québécoise d'aide aux personnes souffrant d'anorexie nerveuse ou de boulimie www.anebquebec.com. Le site met en ligne des conseils, des liens vers des forums et offre la possibilité de s'inscrire à des groupes de discussion à Montréal.
Before adopting a diet, it's essential to ask yourself about your reasons for doing it. Do you want to lose weight to be more appreciated by those close to you? Are you sure that they will like you more if you're thin? And if the answer is yes, is being thin the right requirement for love or friendship? Improving your self-esteem is not necessarily achieved with a diet. Certain methods are more efficient (doing sports, dance, wearing comfortable clothes that aren't too tight, being supported by friends, family, or a psychologist, if needed).
On the other hand, if you want to get thin to be healthier (not getting winded so easily, reducing your cholesterol), this a good reason! In this case, develop some realistic goals, follow the 10 suggestions above and get involved in sports. If this doesn't work, consult a dietician. McGill and the Université de Montréal provide dieticians for their students. For the students of other schools or universities, ask at the health services at your school or university, or at a CLSC near you.
If you think you have an eating disorder (compulsive eating, anorexia, bulimia), don't hesitate to consult a professional (dietician or psychologist). It's not a burden financially, because as a student most of the cost will be reimbursed by your student health insurance. Anonymous groups provide an opportunity to talk about the situation. To locate a group, go to the website of the Quebec Association for People Suffering from Anorexia Nervosa or Bulimia www.anebquebec.com . The website has on-line advice and links to forums, and makes it possible to sign up for a discussion group in Montreal.

RECETTES / RECIPES

OEUFS SPECTACULAIRES / SPECTACULAR EGGS

Les œufs sont une excellente source de protéines facile à préparer et pour pas cher.

Ingrédients pour 1-2 personnes
2-4 œufs
1/8 tasse de lait
1/4 tasse d'oignions
1/2 tasse de boeuf haché
1/2 tasse de fromage en tranche
épices (paprika, poivre, ail)

BIEN MANGER PENDANT LA PERIODE D'EXAMENS

<u>AVANT LA PÉRIODE D'EXAMENS :</u> FAIRE UNE GRANDE ÉPICERIE. FAITES-VOUS LIVRER : C'EST GRATUIT OU TRÈS PEU CHER. ON PEUT ÉVENTUELLEMENT ACHETER DES PLATS DÉJÀ PRÉPARÉS (EX : LES SURGELÉS DE LEAN CUISINE, LES PÂTES DE MICHELINA'S ; CHEF BOYARDEE FAIT LES CONSERVES LES MOINS MAUVAISES ET CHUNKY DES SOUPES CONVENABLES).
<u>AVANT CHAQUE EXAMEN :</u> VEILLEZ À FAIRE UN BON REPAS COMPRENANT UN ÉLÉMENT DE CHACUN DES TROIS GROUPES ALIMENTAIRES (VOIR CONSEIL 1). PRENEZ CE REPAS UNE À DEUX HEURES AVANT L'EXAMEN, AFIN D'AVOIR LE TEMPS DE LE DIGÉRER. RELAXEZ, MANGEZ LENTEMENT ... CE N'EST PAS UNE HEURE AVANT L'EXAMEN QUE VOUS APPRENDREZ VOS COURS.
<u>PENDANT L'EXAMEN</u>, BUVEZ BEAUCOUP D'EAU. LA DÉSHYDRATATION NUIT À LA CONCENTRATION. AMENEZ UN ENCAS COMME DES FRUITS SECS, UN JUS, DU PAIN AVEC DU FROMAGE ....

EATING WELL DURING EXAMS

<u>BEFORE THE EXAM PERIOD:</u> GO ON A GROCERY SHOPPING SPREE. HAVE IT DELIVERED: IT'S EITHER FREE OR CHEAP. YOU CAN ALSO BUY PREPARED FOODS (EG. FROZEN LEAN CUISINE MEALS, PASTA BY MICHELINA'S; CHEF BOYARDEE MAKES THE LEAST AWFUL CANNED PASTA, AND CHUNKY SOUPS SURE ARE HANDY.
<u>BEFORE EACH EXAM:</u> HAVE A WELL-BALANCED MEAL WITH THREE FOOD GROUPS (SEE SUGGESTION #1). EAT ONE OR TWO HOURS BEFORE THE EXAM, SO THAT YOU'LL HAVE TIME TO DIGEST IT. RELAX AND EAT SLOWLY... YOU AREN'T GOING TO LEARN THE COURSE AN HOUR BEFORE THE EXAM ANYWAY.
<u>DURING THE EXAM:</u> DRINK A LOT OF WATER. DEHYDRATION RUINS CONCENTRATION. BRING A SNACK LIKE DRIED FRUIT, JUICE, BREAD WITH CHEESE...

Instructions. Combinez les oeufs, les oignons, le lait et les épices dans un bol. Ajoutez le tout dans une casserole avec un peu de beurre. Ajoutez le fromage et le boeuf un peu avant que les oeufs soient prêts. Servir sur 2 tranches de pain au blé entier et avec des légumes sur le coté.

Eggs are an excellent source of protein, easy to prepare and affordable.

Ingredients for 1-2 people
2-4 eggs
1/8 cup of milk
1/4 cup onions
1/2 cup of ground beef
1/2 cup sliced cheese
spices (paprika, pepper, garlic)
Instructions: Combine the eggs, onion, milk and spices in a bowl. Put the mix in a saucepan with a bit of butter. Add the cheese and meat just before the eggs are ready. Serve on 2 slices of whole wheat bread, with vegetables on the side.

<u>TARTE AUX COURGETTES ET AUX TOMATES / ZUCCHINI TOMATO PIE</u>

Une excellente façon de manger des légumes, sans passer trop de temps dans la cuisine.

Ingrédients pour 4 personnes
2 courgettes
1 tomate
2 œufs
2 grandes cuillères de crème fraîche
1 croûte de tarte
Instructions. Tapissez votre croûte avec des rondelles de courgettes avec la peau et de tomates. Battez les œufs et ajoutez la crème. Versez le mélange sur les légumes. Faire cuire dans un four chaud pendant 20 minutes.

An excellent way to eat vegetables without spending too much time in the kitchen.

Ingredients for 4 people
2 zucchini
1 tomato
2 eggs
2 heaping spoonfuls of crème fraîche
1 pie crust
Instrutions: Cover your crust with round slices of zucchini with the skins still on and the tomato. Beat the eggs and add the crème. Pour the mixture on the vegetables. Bake in a preheated oven for 20 minutes.

LES POIRES AU SIROP D'ÉRABLE / PEARS WITH MAPLE SYRUP

Par Isabelle Chartier, étudiante à l'Université de Montréal en histoire de l'art

Ingrédients
75 g de beurre
Une poire fraîche par personne, épluchée et coupée en deux
Sirop d'érable
Instructions. Faites fondre le beurre dans une poêle à feu moyen. Ajoutez les demi-poires et faites-les tourner pendant 5 min. Ajoutez le sirop d'érable (à volonté). Attention : bien surveiller car le sirop brûle vite ! Faites cuire environ 5 autres minutes.

By Isabelle Chartier, student of art history at the Université de Montréal

Ingredients
75 g of butter
A fresh pear per person, peeled and cut in two
Maple syrup
Instructions: Melt the butter in a frying pan on medium heat. Add the pear halves and turn them over after 5 minutes. Add the maple syrup (as much as you want). Warning: watch the pan because the syrup can burn fast! Cook for approximately 5 more minutes.

© Wacker - FOTOLIA

STRESS

ÉTUDIANTS, RESTEZ CALME ! / STUDENTS, KEEP CALM!

Par Dina Merhbi, diététiste auprès des étudiants de l'Université McGill

By Dina Merhbi, dietician for McGill University students

1- PRENEZ UNE PÉRIODE DE TEMPS POUR VOUS FAIRE PLAISIR, TOUS LES JOURS.

Trouvez un peu de temps tous les jours - ne serait-ce que 30 minutes - que vous consacrerez à vous faire plaisir, à faire ce que vous aimez : du sport, écouter de la musique, voir des amis, prendre un bain...

1- TAKE A BIT OF TIME OF TO HAVE FUN EVERY DAY.

Find a little bit of time every day—it doesn't have to be more than 30 minutes—devoted to doing something enjoyable: sports, listening to music, seeing friends, taking a bath…

2- GARDEZ UN JOURNAL 'ÉMOTIONNEL'.

Si vous n'arrivez pas à vous endormir ou que vous vous sentez paralysé par les tâches à accomplir, écrivez vos pensées puis cherchez les solutions. Vous en trouverez, c'est certain.

2-KEEP A PERSONAL JOURNAL.

If you can't sleep or if you feel paralysed by the amount of work you have to do, write down your thoughts and try to find solutions. You'll figure it out, for sure.

3- DIMINUEZ LA CONSOMMATION DE THÉ, DE CAFÉ, DE BOISSONS GAZEUSES CAFÉINÉES

Ce sont des excitants qui créent des dépendances. Si vous en consommez de peur de vous endormir en cours ou pendant vos examens, mieux vaut dormir un peu plus longtemps la nuit !

PEUT-ON VAINCRE LE STRESS EN PÉRIODE D'EXAMENS ?

LE SUPPRIMER, NON. D'AILLEURS, UN PEU DE STRESS AIDE À SE MOTIVER ! PAR CONTRE, CERTAINES ASTUCES PERMETTENT DE LE LIMITER.

+ PRÉPAREZ-VOUS SUFFISAMMENT À L'AVANCE
+ FAITES DU SPORT
+ CONCENTREZ-VOUS SUR VOS ÉTUDES LE TEMPS DES EXAMENS : LIMITEZ VOS SORTIES ET AUTRES ACTIVITÉS EXTRA-SCOLAIRES
+ ÉTUDIEZ AVEC DES AMIS ET ÉVITEZ DE RESTER TROP SEUL
+ SI VOUS ÊTES FATIGUÉ À LA FIN DE LA JOURNÉE ET NE PARVENEZ PLUS À ÉTUDIER, N'HÉSITEZ PAS À FAIRE AUTRE CHOSE : MAGASINER, CUISINER ...

CAN YOU COMBAT STRESS DURING EXAMS?

YOU CAN'T SUPPRESS IT. ACTUALLY, A BIT OF STRESS GETS YOU MOTIVATED! ON THE OTHER HAND, CERTAIN TRICKS WILL HELP TO CONTAIN IT.

+ PREPARE YOURSELF ENOUGH IN ADVANCE
+ DO SPORTS OR EXERCISE
+ CONCENTRATE ON YOUR STUDIES DURING EXAM TIME: LIMIT YOUR SOCIAL FORAYS AND OTHER EXTRA-CURRICULAR ACTIVITIES
+ STUDY WITH FRIENDS AND AVOID BEING ALONE TOO MUCH
+ IF YOU ARE TIRED AT THE END OF THE DAY AND AREN'T MANAGING TO STUDY, DO SOMETHING ELSE: SHOP, COOK…

3- REDUCE THE AMOUNT OF TEA, COFFEE AND CAFFEINATED SOFT DRINKS YOU'RE DRINKING.

These are stimulants that create addictions. If you are drinking these drinks for fear of falling asleep during class or during your exams, you might want to consider sleeping more at night instead!

4- COMMUNIQUEZ

Parlez avec vos amis de vos problèmes ou d'autre chose. Ceci vous permettra de vous changer les idées et de vous détendre.

4- COMMUNICATE

Talk to your friends about your problems or anything else. They will help you to see things from a different perspective and to relax.

5- RATIONALISEZ VOTRE EMPLOI DU TEMPS

Limitez vos activités plutôt que de butiner entre plusieurs projets. Il vaut mieux approfondir quelques missions afin d'obtenir la satisfaction du travail fini. Et, pour son CV, mieux vaut avoir accompli une tache de façon approfondie que d'avoir commencé plusieurs choses.

5- USE GOOD TIME MANAGEMENT

Limit your activities instead of getting involved in tons of projects. It's better to do fewer jobs well and feel satisfied with completed work. On your CV, it looks better to have done something thoroughly than to have started many things you never finished.

6- NE CRAIGNEZ PAS LA RÉORIENTATION

Avoir peu de goût pour ses études devient vite une grande source de stress. N'hésitez pas à consulter un conseiller en orientation. 'Perdre' une année dans son cursus est mieux que d'avoir un diplôme dans une profession que l'on ne souhaite pas exercer.

6- DON'T BE AFRAID TO CHANGE DIRECTION

Not getting into your studies can be a big source of stress. Don't hesitate to consult an academic advisor about changing your major. "Losing" a year during your period of study is better than having a diploma in a profession you don't want to practice.

© Paha_L - FOTOLIA

7- DÉNOUEZ VOS QUESTIONS EXISTENTIELLES

Ne pas trouver sa place, ne pas se sentir aimé, douter du sens de sa vie sont autant de questions qui peuvent être discutées avec un psychologue. Toutes les universités mettent des services très peu onéreux à la disposition de leurs étudiants.

7- UNTANGLE YOUR EXISTENTIAL QUESTIONS

Feeling that you're not in the right place, feeling unloved or not liked, doubting that your life has purpose are questions that can be discussed with a psychologist. All the universities offer affordable services to their students.

QUELQUES PETITS COUPS DE CŒUR POUR SE RELAXER À MONTRÉAL / SOME FUN WAYS TO RELAX IN MONTREAL

En hiver : patinez dans le Vieux port ou sur le lac des Castors. Allez faire de la luge au parc du Mont-Royal
In winter: skate in the Old Port or on Beaver Lake. Do the luge in Mount-Royal Park.

En été : la piscine sur le toit de l'hôtel de la Montagne. (Entrée libre. Il suffit de consommer une boisson pour avoir accès à la piscine). Une terrasse de luxe avec une piscine de luxe !
In summer: the pool at the top of Hotel de la Montagne. (Free admission. All you need to do is have a drink to get access to the pool).
A luxury terrace with a luxury pool!

HÔTEL DE LA MONTAGNE
1430, de la Montagne
(514) 288 5656
La terrasse du 737, la plus belle vue sur Montréal. Un bar-discothèque, plutôt branché. Y manger est assez cher mais ça vaut le coup d'y prendre un verre.
The terrace of 737, with the best view of Montreal. A bar/dance club, very hip. Eating here is fairly pricey, but it's worth it to have a drink.

737
1, place Ville Marie Niveau PH2
(514) 397 0737
Faire du roller ou du vélo le long de la piste cyclable qui va du Vieux port au canal Lachine. Aucune voiture, de la place, un beau cadre...
Go roller-skating or cycling along the bicycle path that goes from the Old Port to the Lachine Canal. No cars, space, nice scenery…

LIRE P.63-66 POUR LES IDÉES DE FINS DE SEMAINE / READ P. 63-66 FOR WEEK END SUGGESTIONS.

FAIRE DU SPORT / SPORTS

CEPSUM (UNIVERSITÉ DE MONTRÉAL)
2100, Édouard-Montpetit
(514) 343-6150
www.cepsum.umontreal.ca
Métro Edouard-Montpetit, bus 51, 119, 129. Lun-ven 6h 30-23h, sam-dim 8h30-20h30 (septembre à mi-juin), 11h-18h (mi-juin à août). Tarifs : abonnement régulier gratuit pour les étudiants à temps plein de l'UdeM (sauf pour la salle d'entraînement).
La diversité des installations (salle d'entraînement, piscine olympique, patinoire) de ce centre sportif comblera les demandes des plus exigeants. Presque tous les sports y sont enseignés : arts martiaux (karaté, kendo, taekwondo, taï chi), activités aquatiques (natation, aquagym), danse (flamenco, salsa et merengue, salsa cubaine, tango, hip-hop), escalade, squash, badminton, tennis, golf, trampoline, yoga, hockey, basket-ball, soccer, palestre et plus encore !
Edouard-Montpetit Metro, Bus 51, 119, 129. Mon-Fri 6 :30am-11pm, Sat-Sun 8:30am-8:30pm (September to mid-June), 11am-6pm (mid-June to August). Membership: free for full-time students at U of M (except for weight room).
The variety of facilities (weight room, Olympic-sized pool, skating rink) of this sports complex will satisfy the most demanding athlete. With instruction in almost every sport imaginable: martial arts (karate, kendo, taekwondo, taï chi), water sports (swimming, aquafit), dance (flamenco, salsa and merengue, Cuban salsa, tango, hip-hop), climbing, squash, badminton, tennis, gold, trampoline, yoga, hockey, basketball, soccer, open gym and so much more!

CENTRE SPORTIF DE L'UQAM
1212, Sanguinet (514) 987-7678
www.unites.uqam.ca/centreSportif
Métro Berri-UQAM, angle René-Lévesque. De septembre à mi-juin : lun-ven 7h-23h, sam 9h-17h, dim 9 h-23 h. De mi-juin à août: lun-ven 9h-21h, fermé sam-dim. Tarifs abonnement : 40,32 $ pour les étudiants à plein temps de l'UQAM (en général, compris dans le paiement des droits de scolarité).
Plus de 85 activités sont offertes. La liste alphabétique commence par abdos-fessiers-cuisses et se termine avec yoga. La plupart des activités se déroulent dans la piscine, la salle

© Benji Wahiche

d'entraînement, la piste de jogging, le mur d'escalade, les terrains de badminton, etc.

Berri-UQAM Metro, corner René-Lévesque. From September to mid-June: Mon-Fri 7am-11pm, Sat 9am-5pm, Sun 9am-11pm. From mid-June to August: Mon-Fri 9am-9pm, closed Sat-Sun. Membership: $40.32 for full-time UQAM students (generally included in school fees).
More than 85 activities are available. The alphabetical list starts with Tummy-Butt-Thighs and ends with Yoga. Most of the activities take place in the pool, the weight room, the jogging track, the climbing wall, the badminton courts, etc.

CAMPUS SPORTIFS DE CONCORDIA / CONCORDIA SPORTS CAMPUS
7200, Sherbrooke O/W
(514) 848-2424 poste 3857
Victoria Gym
1822, de Maisonneuve, O/W
(514) 828 2424 poste 3860
http://web2.concordia.ca/Rec_Ath/home.html
Tarifs : étudiants Concordia 20 $-60 $/session, laissez-passer à la journée : étudiants 3$.
Deux campus se partagent les activités sportives à l'Université Concordia. Tous les sports sont à l'honneur avec un large choix de sports d'équipes : soccer, football, volley-ball, basket-ball. Pour les activités individuelles, telles que l'aérobic, le yoga, la danse (classique, salsa), les arts martiaux

(kickboxing, capoeira, wing chun, kung fu) sont disponibles à des horaires très variés.
Membership: Concordia students $20-60/session. Student day pass: $3.
The two Concordia campuses split the sports activities. All the sports are available, with a vast array of team sports: soccer, football, volleyball, basketball. Individual activities, such as aerobics, yoga, dance (classical, salsa), martial arts (kickboxing, capoeira, wing chun, kung fu) are offered throughout the varied schedule.

SERVICE DES SPORTS DE L'UNIVERSITÉ MCGILL / MCGILL SPORTS SERVICE
475, des Pins O/W
(514) 398-7000
www.athletics.mcgill.ca
Métro McGill. Lun-ven 7h-21h, sam 9h-17h30. Tarif étudiant à McGill : à partir de 35 $/mois.
Le centre sportif de l'Université McGill dispose de grands gymnases, d'un gym, d'une piscine olympique, d'une patinoire, de terrains de tennis, etc. Bien sûr, de nombreux cours y sont proposés.
McGill Metro. Mon-Fri 7am-9pm, Sat 9am-5:30pm. Student membership starts at $35/month.
The McGill sports complex boasts large gymnasiums, a gym, an Olympic-sized pool, a skating rink, tennis courts, etc. Of course, many fitness classes are available as well.

SANTÉ : COMMENT S'ASSURER / HEALTH: HOW TO GET INSURANCE

LES ASSURANCES SANTÉ POUR LES ÉTUDIANTS / MEDICAL INSURANCE FOR STUDENTS

Cette partie s'adresse aux étudiants québécois et aux résidents permanents. Les étudiants étrangers peuvent se référer à la partie intitulée 'procédures administratives'. Pour éviter de cumuler problèmes de santé et ennuis financiers, renseignez-vous vite sur les conditions d'accès aux régimes d'assurance maladie et d'assurance médicaments !

This section refers to Quebec students and permanent residents. Foreign students may refer to the section "Administrative Procedures." To avoid the accumulation of health and financial problems, find out as soon as possible about access to health insurance plans and prescription drug insurance.

L'ASSURANCE MALADIE / HEALTH INSURANCE

La Carte soleil, délivrée par la Régie de l'assurance maladie du Québec (RAMQ) devrait déjà être en votre possession. Si ce n'est pas le cas, contactez vite la RAMQ. La carte donne accès aux services couverts par l'assurance maladie du Québec, à condition qu'ils soient dispensés par un professionnel de la santé participant au régime d'assurance maladie du Québec. Voici les principaux services auxquels la carte d'assurance maladie donne accès :

+ **les services médicaux** chez un médecin généraliste ou spécialiste ;
+ **les services optométristes** pour les moins de 18 ans et les personnes âgées de 65 ans ou plus, pour les personnes prestataires de l'assurance emploi depuis au moins 12 mois, pour les personnes de 18 ans à 64 ans ayant une déficience visuelle et inscrites dans un centre de réadaptation ;
+ **les services dentaires** pour les enfants de moins de 10 ans ou pour les personnes de plus de 10 ans qui sont prestataires d'assurance emploi.

Vous trouverez l'ensemble des services couverts par l'assurance maladie du Québec sur le site internet de la RAMQ au **www.ramq.gouv.qc.ca**, à l'onglet "Services aux citoyens" (en haut à gauche).

The Health Insurance Card, issued by the Régie de l'assurance maladie du Québec (RAMQ), should already be in your possession. If not, get in touch with RAMQ right away. The card gives access to services covered by the Quebec Health Insurance Plan, provided they are dispensed by a participating health professional. Here are the principle services covered by the card:

+ **medical services** administered by a general practitioner or a specialist;
+ **optometrist services** for those under 18 and over 65, for people unemployed during

EN CAS D'URGENCE / FOR EMERGENCIES

COMPOSER LE 911 POUR SIGNALER TOUTE URGENCE PAR TÉLÉPHONE.

DIAL 911 TO REPORT AN EMERGENCY BY PHONE.

the 12 last months, for people between 18-64 who suffer from a visual deficiency and who are registered at a rehabilitation centre;
+ **dental services** for children under 10 or for people over 10 who are on Employment Insurance.

You'll find the complete list of services covered by Quebec Health Insurance Plan on the RAMQ's website, **www.ramq.gouv.qc.ca**. Click on the tab "Services for the Public" (top left).

L'ASSURANCE MÉDICAMENT / PRESCRIPTION DRUG INSURANCE

Les personnes admissibles à l'assurance maladie du Québec doivent obligatoirement être couvertes par un régime d'assurance médicaments. En premier lieu, vous devez savoir si vous êtes affilié à un régime privé d'assurance médicaments. Votre employeur éventuel ou vos parents ou votre conjoint pourraient vous faire bénéficier de leur régime privé. Si ce n'est pas le cas, vous devez obligatoirement adhérer au régime public d'assurance médicaments administré par la RAMQ. Pour ce faire, vous devez vous inscrire par téléphone.

POUR JOINDRE LA RAMQ
[Par téléphone]
Montréal : (514) 864-3411
Québec : (418) 646-4636
Ailleurs au Québec : 1-800-561-9749
[Par internet]
www.ramq.gouv.qc.ca
[En personne]
Montréal, 425, boulevard De Maisonneuve O
3e étage, bureau 303, Métro Place des arts ou McGill

Those eligible for the Quebec Health Insurance Plan must be covered by a prescription drug insurance plan. First, you must find out if you are registered for a private prescription drug insurance plan. Your employer, parents, or spouse may be able to cover you on their private plan. If this is not possible, you must sign up for the public plan adminstered by the RAMQ. You may register by phone.

TO REACH RAMQ
[By phone]
Montreal: (514) 864-3411
Quebec: (418) 646-4636
Elsewhere in Quebec: 1 800 561-9749
[By internet]
www.ramq.gouv.qc.ca
[In person]
Montreal at 425 de Maisonneuve W
3e floor, # 303. Place-des-arts or McGill Metro.

L'ASEQ : UNE ASSURANCE COMPLÉMENTAIRE / QSHA: SUPPLEMENTARY INSURANCE

Les universités incluent une assurance santé complémentaire dans les droits d'inscription, à la suite d'un accord avec l'Alliance pour la Santé des Étudiants au Québec (ASEQ). Vous pouvez demander à votre université d'être remboursé si vous ne souhaitez pas bénéficier des services de l'ASEQ. Cette assurance complète celle de la RAMQ, sauf les remboursements de médicaments. Elle permet le remboursement partiel des services médicaux non couverts par l'assurance maladie, notamment les frais dentaires, une chambre privée en cas d'hospitalisation, etc.

POUR LES DÉTAILS, CONTACTER L'ASEQ
[Par téléphone]
(514) 844 - 4423
[Par internet]
www.aseq.com
[En personne]
1134, rue Ste-Catherine O. Suite 700
Métro Peel.

The universities have included supplementary health insurance in their registration fees since the agreement made with the Quebec Student Health Alliance (QSHA). You can ask your university to reimburse you if you don't want to benefit

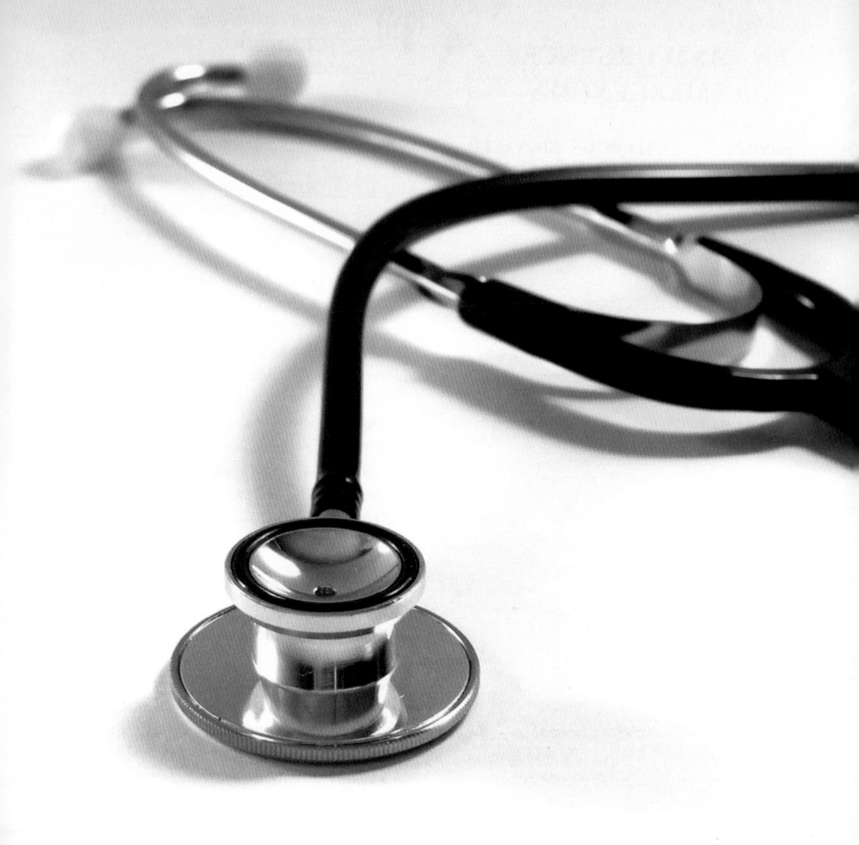

from the QSHA's services. This insurance supplements that of the RAMQ, except for reimbursing the cost of prescription drugs. It provides partial reimbursement for medical services not covered by the Quebec Health Insurance Plan, such as dental care, a private hospital room, etc.

FOR MORE DETAILS:
CONTACT THE QSHA
[By telephone]
(514) 844 – 4423
[By internet]
www.aseq.com
[In person]
1134 Ste-Catherine W., Suite 700
Peel Metro.

SE FAIRE SOIGNER / TAKING CARE OF YOURSELF

IMPORTANT :
N'oubliez pas votre Carte soleil
si vous allez chez un professionnel de la santé.
En la présentant, vous éviterez d'avancer
les frais.

IMPORTANT:
Don't forget to bring your Health Insurance Card if you are going to see a health professional. By presenting it, you eliminate the need to pay up front.

Pour trouver les coordonnées d'un médecin, renseignez-vous auprès de l'association étudiante de votre université ou au CLSC le plus près de chez vous.

Pour la liste des CLSC :
www.santemontreal.qc.ca

Vous trouverez la liste des dentistes affiliés à l'ASEQ sur leur site internet: **www.aseq.com.** En général, si vous leur présentez votre carte d'étudiant, vous ne leur réglerez que la partie qui n'est pas remboursée par l'ASEQ.

To find contact information for a doctor, consult the student association at your university or the CLSC nearest you.

For a complete list of CLSC:
www.santemontreal.qc.ca

You will find the list of dentists affiliated with the QSHA on their website : **www.aseq.com.** In general, if you present them your student card, you only have to pay them for the portion not covered by QSHA.

HÔPITAUX / HOSPITALS

HÔPITAL GÉNÉRAL JUIF / JEWISH GENERAL HOSPITAL
3755, Côte Sainte-Catherine. (514) 340-8222.
Métro Université de Montréal ou Édouard Montpetit.

CENTRE HOSPITALIER DE SAINT MARY / SAINT-MARY'S HOSPITAL
3830, Lacombe. (514) 345-3511.
Métro Côte-des-neiges.

HÔTEL-DIEU
3840, Saint-Urbain. (514) 890-8000.
Métro Sherbrooke.

HÔPITAL NOTRE-DAME / NOTRE-DAME HOSPITAL
1560 Sherbrooke E (514) 890-8000.
Métro Sherbrooke.

HÔPITAL SAINT-LUC / SAINT-LUC HOSPITAL
1058, Saint-Denis (514) 890-8000.
Métro Champ de Mars.

HÔPITAL ROYAL VICTORIA / ROYAL VICTORIA HOSPITAL
687, des Pins O/W (514) 934-1934

LIGNES D'ÉCOUTE / HELP LINES

En cas d'inquiétude concernant un rapport sexuel non protégé, une dépendance à la drogue, votre sexualité ou si vous souhaitez parler à un professionnel de vos états d'âme, vous serez écouté et conseillé aux numéros suivants. Certains sont des lignes d'écoute, d'autres des centres d'accueil.
In case of concern regarding unprotected sex, drug dependence, your sexuality, or if you'd like to speak to a professional about your emotional state, you will find someone to listen to you and provide counsel at the following numbers. Certain number are helplines, others are support centres.

JEUNESSE J'ÉCOUTE
1-800-668-6868.
Ouvert tous les jours, 24/24 h. Anglais et français.
Cette ligne d'écoute, anonyme et gratuite, met à votre disposition des personnes prêtes à vous écouter. Elles vous seront de bon conseil pour toutes les sortes de problèmes psychologiques que vous pouvez rencontrer. Elles vous donneront les coordonnées de lieux spécialisés si vous en avez besoin.
Open every day, all day. English and French.
This helpline, anonymous and free, provides you with people ready to listen. You will receive advice on any psychological issue you might encounter. You will receive referrals to specialists if needed.

SUICIDE ÉCOUTE
1-866-277-3553
7j/7. 24h/24. Anglais et français.
Ligne d'écoute et d'orientation vers des services de soutien psychologique.
Open every day, all day. English and French.
Helpline and referral to psychological support services.

GROSSESSE SECOURS
79, Beaubien E (514) 271-0554.
Bureau et ligne téléphonique du lundi au vendredi de 9h30 à 21h.
Vous pouvez prendre rendez-vous pour vous procurer un test de grossesse ou pour obtenir

© Klementiev - FOTOLIA

toute information sur la contraception, la sexualité, l'avortement, les cycles menstruels… Les conjoints peuvent eux aussi prendre rendez-vous.
Office and telephone line Mon-Fri 9:30am-9pm.
You can get an appointment for a pregnancy test and receive information on contraception, sexuality, abortion, menstruation… Partners may also get an appointment.

CLSC SPECIALISÉS SIDA / CLSC SPECIALISED IN AIDS

CLSC DES FAUBOURGS
1705, de la Visitation
(514) 527-2361
Métro Beaudry.

CLSC MÉTRO
1801, de Maisonneuve O/W. 4e étage.
(514) 934-0354
Métro Guy-Concordia.

DÉPENDANCE AUX DROGUES / DRUG ADDICTION

DROGUE, AIDE ET RÉFÉRENCE / DRUGS: HELP AND REFERRAL
(514) 527-2626
Ligne d'écoute disponible 24h/24 et 7jours/7.
Helpline available 24 hours a day, 7 days a week.

AGRESSION SEXUELLE / SEXUAL ASSAULT

CENTRE D'INTERVENTION ET DE RECHERCHE SUR LA VIOLENCE / CENTRE FOR PREVENTION AND RESEARCH ON VIOLENCE
5903, Saint-Denis
(514) 272-4416
Ouvert du lundi au vendredi de 8h à 23h.
Centre d'aide privé, qui fournit des consultations à la suite de violences sexuelles ou conjugales.
Open Mon-Fri 8am-11pm.
Private centre for individual aid, which provides consultations after episodes of sexual or conjugal violence.

TÉLÉPHONE EN CAS D'URGENCE/EMERGENCY NUMBER
(514) 934-4504

CENTRE D'AIDE / HELP CENTRE
CLSC : 1801 De Maisonneuve O/W, 3e étage / floor
Du lundi au vendredi, de 9h30 à 16h30.
Prise en charge médicale, légale et psychologique en cas de viol.
Mon-Fri, 9:30am-4:30pm.
In charge of medical, legal and psychological services in case of rape.

Se loger
Accommodation

LOGEMENT / ACCOMMODATION

LOGEMENT PROVISOIRE / TEMPORARY ACCOMMODATION

Quelques adresses bien utiles où séjourner en arrivant à Montréal, en attendant de trouver une habitation définitive.
A few useful addresses of places to stay when you come to Montreal, while waiting to find something a bit more permanent.

AUBERGE ALTERNATIVE DU VIEUX MONTRÉAL / OLD MONTREAL ALTERNATIVE HOSTEL
358, Saint-Pierre
(514) 282-8069
www.auberge-alternative.qc.ca
Métro Square Victoria.
20 $ la nuit en dortoir et 55 $ en chambre individuelle. 3,50$ le petit déjeuner bio et copieux !
Une auberge très charmante, au cœur du quartier historique de Montréal est incontestable, ça ne se refuse pas ! Le lieu est idéal pour se faire des compagnons de voyage. L'auberge adopte une philosophie 'alternative' : pas de télévision ni de distributeur de sodas. Par contre, le café et le thé équitables sont offerts. Les employés de l'auberge et les voyageurs sont encouragés à s'exprimer sur des panneaux muraux et à échanger sur leurs expériences de vie.
$20 a night for the dorm and $55 for an individual room. $3.50 for a huge, organic breakfast!
A charming hostel right in the heart of the historic quarter of Montreal—how can you resist? The place is perfect for meeting travelling companions. The hostel has an "alternative" philosophy: no television, no soft drink machines. Instead, free trade coffee and tea are available. The hostel staff and travellers are encouraged to express themselves on wall panels and to share their life stories.

AUBERGE DE JEUNESSE DE MONTRÉAL / MONTREAL YOUTH HOSTEL
1030, MacKay
(514) 843-3317 ou 1-866-843-3317
www.hostellingmontreal.com
Métro Lucien L'Allier.

LOGEMENT POUR PARENTS EN VISITE / ACCOMMODATION FOR VISITING PARENTS

VOUS PARENTS VOUS RENDENT VISITE QUELQUES JOURS ? VOILÀ QUELQUES SUGGESTIONS D'HÔTELS DANS LESQUELS ILS SERONT CONTENTS DE SÉJOURNER.
YOUR PARENTS ARE COMING TO VISIT IN A FEW DAYS ? THESE HOTELS GUARANTEE A PLEASANT STAY.

L'ABRI DU VOYAGEUR

WWW.ABRI-VOYAGEUR.CA
UN HÔTEL SYMPA EN PLEIN CŒUR DU CENTRE-VILLE, AUX PRIX RAISONNABLES (42 $ À 69 $ LA NUIT).
A FRIENDLY HOTEL IN THE HEART OF DOWNTOWN, AND REASONABLY PRICED ($42 TO $69 A NIGHT).

HÔTEL DYNASTIE

WWW.HOTELDYNASTIE.COM
UN PETIT HÔTEL, STYLE AUBERGE, MÉTRO BERRI. (DE 58 $ À 88 $ LA NUIT).
A SMALL HOTEL, AN INN IN STYLE, BERRI METRO. (FROM $58 TO $88 A NIGHT).

HÔTEL LE ROBERVAL

WWW.LEROBERVAL.COM
MÉTRO BERRI UQAM (COMPTER AUTOUR DE 100 $ LA NUIT).
BERRI-UQAM METRO (AROUND $100 A NIGHT).

Pour membres, 24,75 $ la nuit, en dortoir, draps et serviette inclus mais taxe en supplément. 29 $ pour les non-membres. Quelques chambres privées.
Située à quelques mètres de l'Université Concordia et non loin de McGill, cette auberge accueille des visiteurs du monde entier et de tous les âges. Les chambres individuelles et les dortoirs de cette grande auberge sont très fonctionnels. Côté ambiance, on peut rester anonyme ou socialiser en participant aux diverse sorties proposées par les animateurs. Le soir, une cafétéria prépare un excellent menu à des prix très raisonnables. Une cuisine est à la disposition de ceux souhaitant concocter leurs propres repas
For members, $24.75 plus tax per night for the dorm, sheets and a towel. $29 for non-members. Some private rooms.

Located a few metres from Concordia University and not far from McGill, this hostel welcomes visitors of all ages from around the world. The individual rooms and the dorms of this hostel are functional. In terms of atmosphere, you can remain anonymous or socialise by participating in the many outings suggested by the organisers. At night, the caf prepares an excellent and reasonably priced menu. A kitchen is available for those who like to cookt their own meals.

AUBERGE MAEVA
4755, Saint-Hubert
(514) 523-0840
www.aubergedejeunessemaeva-montreal.com
Métro Laurier.
Entre 18 $ et 20 $ la nuit en dortoir et entre 40 $ et 55 $ en chambre individuelle.
Idéal pour ceux qui veulent retrouver une ambiance familiale. Car, dans cette petite auberge, tout se passe autour de la table de la cuisine, que l'on partage avec les propriétaires et les autres résidents! Les petits dortoirs offrent plus d'intimité que ceux des grandes auberges. L'été, on profite de la petite terrasse fleurie. L'auberge se trouve sur le Plateau, un quartier résidentiel à la mode. Y séjourner, c'est découvrir un Montréal un peu hors du coeur touristique.
Between $18 and $20 a night for the dorm and between $40 and $50 for an individual room.
Ideal for those who seek a family atmosphere. Because, in this little hostel, everything happens around the kitchen table shared by the owners and the other guests! The small dorms are more intimate than those of the larger hostels. In the summer, take advantage of the little terrace full of flowers. The hostel is located on the Plateau, a fashionable residential neighbourhood. To stay here is to discover a Montreal off the tourists' path.

L'UTOPIK
552, rue Sainte-Catherine E/W
(514) 844-1139
www.lutopik.org
Métro Berri UQAM. De mai à septembre, 20 $ la nuit en dortoir. De septembre à mai, entre

Résidences étudiantes
du Complexe des sciences
Pierre-Dansereau
© UQÀM

375 $ et 450 $ le mois pour un studio.
Le repère de tous ceux qui veulent refaire le monde autour d'un sandwich bio, en buvant un thé équitable ! L'Utopik est avant tout un café-restaurant-salle de concerts qui diffuse toutes sortes d'informations sur l'environnement, les politiques sociales ... Bref, un vrai repère de militants. On peut choisir d'y passer la nuit en été (dortoirs de 4 lits) ou de louer un studio le reste de l'année. Ces chambres bien commodes, situées au coeur du centre-ville, disposent toutes d'une petite cuisine et d'une salle de bains.

From May to September, $20 a night for the dorm. From September to May, between $375 and $450 a month for a studio.
The landmark for all those who want to redesign the world around an organic sandwich, while drinking free trade tea! L'Utopik is above all a café-restaurant-concert hall which distributes information on the environment, social politics... In short, a real landmark for activists. You can choose to stay a night in the summer (dorms of 4 beds) or to rent a studio for the rest of the year. Each of these comfortable rooms, located in the heart of downtown, includes a small kitchen and bathroom.

RÉSIDENCES UNIVERSITAIRES / UNIVERSITY RESIDENCES

Toutes les universités de Montréal possèdent des résidences, réservées à leurs étudiants. Les logements vont du studio (avec un lit, une cuisinière et un bureau dans la même pièce) et parfois des appartements dans lesquels les colocataires ont chacun leur chambre et partagent une pièce commune. La majorité des logements étudiants se trouve à proximité des universités auxquelles ils sont affiliés. En raison du grand nombre de demandes, il est conseillé de réserver très à l'avance (avant la fin mars pour la rentrée de septembre).

All the universities in Montreal have residences reserved for their students. The accommodations range from studio (with a bed, stove and desk in the same room) to the less common apartments in which roommates have their own room and then share a common space. Most of the student accommodations are near the universities to which they are affiliated. Due to the high demand, it's recommended that you reserve well in advance (before the end of March for the beginning of school the following September).

RÉSIDENCES DE CONCORDIA / CONCORDIA RESIDENCES
(514) 848-2424 poste 4758
http://residence.concordia.ca/
L'université Concordia ne dispose que d'un petit bâtiment pour ses résidences, situé sur le campus Loyola. On loge dans des studios, sans cuisine. Par conséquent, il faut s'inscrire obligatoirement à un service de pension alimentaire. Le loyer est de 364 $ pour un studio individuel et de 312 $ par personne dans un studio avec deux lits (ce à quoi il faut ajouter une des formules de pension alimentaire).
Concordia University has only one small building for its residences, located on the Loyala campus. These are studios without kitchens, which means you'd have to sign up for the obligatory meal plan. The rent is $364 for an individual studio and $312 per person for a studio with two beds (to which you'd have to add one of the meal plan formulas).

RÉSIDENCES DE L'UNIVERSITÉ DE MONTRÉAL / UNIVERSITÉ DE MONTRÉAL RESIDENCES
(514) 343-6531
www.residences.umontreal.ca
Quatre bâtiments, situés sur le campus de l'université accueillent les étudiants. L'UdM ne propose que des studios de petite taille, ce qui explique le prix inférieur aux autres résidences. Le loyer mensuel, charges incluses, s'échelonne de 293,59 $ à 505,87 $ pour un studio double.
Four buildings situated on the university campus house students. U of M offers only small studios, which explains why the prices are lower than those of other residences. The monthly rent, charges included, is on a scale of $293.59 to $505.87 for a double-occupancy studio.

RÉSIDENCES DE L'UQAM / L'UQAM RESIDENCES
(514) 987-6669
www.residences-uqam.qc.ca
Deux bâtiments, dont un flambant neuf (celui de la rue Saint-Urbain), se composent de studios et appartements de 2, 3 et 8 chambres. Compter au minimum 450 $ par mois pour un studio. Les prix d'une chambre en appartement baissent en fonction du nombre de colocataires, le moins cher étant une chambre dans un logement à huit (368 $/mois/personne). Les deux bâtiments se situent proche de l'UQAM, en plein centre-ville.
Two buildings, including a brand new one (on St-Urbain Street), comprise studios and apartments of 2, 3 and 8 rooms. The minimum rent for an individual studio for one month is $450. The more roommates, the cheaper the rent--the cheapest being a room in an apartment for 8 ($368/month/personne). The two buildings are located near UQAM, right downtown.

RÉSIDENCES DE MCGILL / MCGILL RESIDENCES
(514) 398-6367
www.mcgill.ca/residences
L'université McGill propose un très large éventail de logements à ses étudiants. Du studio à l'appartement, avec repas inclus ou non, on trouve de tout. Certaines résidences se situent à deux pas du campus, d'autres à quatre stations de métro, à Atwater. Compter un minimum de 500 $ par mois.
McGill University offers a broad range of accommodation for its students. From studio to apartment, with meals included or not, you can find pretty much everything. Certain residences are located two steps from campus, while others are four metro stations away, at Atwater. Count on a minimum of $500 a month.

RÉSIDENCES PRIVÉES / PRIVATE RESIDENCES

RÉSIDENCE LABELLE
1205, rue Labelle
(514) 840-1151
www.hotellabelle.com
Métro Berri-UQAM.
A partir de 550 $ par mois pour un studio.
De beaux studios, flambants neufs, vous attendent dans cette résidence qui vient d'ouvrir ses portes. Situés en plein cœur du centre-ville, ils vous rapprochent de toutes les commodités de la vie urbaine (Grande bibliothèque, UQAM, boutiques ...). Les studios, entièrement meublés, sont équipés d'une petite cuisine. Les logements sont plus spacieux que ceux offerts par la plupart des universités, pour un prix équivalent. Bref, un rapport qualité-prix excellent, et des chambres qui sentent le neuf ! Une adresse hautement futée !
From $550 a month for a studio.
Brand new beautiful studios await you in this

recently opened residence. Located in the heart of downtown, it is close to all the conveniences of urban life (National Library, UQAM, shops…) The studios, fully furnished, are equipped with a small kitchen. The accommodations are more spacious than those offered by the universities, and for the same price. In sum, an excellent quality : price ratio, and rooms that smell new! A highly desirable address!

LOGEMENT HORS CAMPUS / OFF-CAMPUS HOUSING

Le logement en appartement partagé avec des colocataires s'avère en général plus économique que les résidences. Pour trouver une chambre, regardez les babillards dans les universités et dans les cafés et restaurants des environs. Renseignez-vous auprès de l'administration de votre université qui, bien souvent, dispose d'un service d'aide au logement hors campus. Plusieurs sites internet diffusent des annonces sérieuses :
Renting an apartment with roommates is generally cheaper than staying in residence. To find a room, look at the bulletin boards in the universities and in nearby cafés and restaurants. Get information from the university administration, which often has an off-campus housing service. Many websites post serious ads:

www.voir.ca
www.appartalouer.com
www.recherche-colocation.com
www.montoit.ca

LES DIFFÉRENTS QUARTIERS DE MONTRÉAL OÙ IL FAIT BON VIVRE / THE MONTREAL NEIGHBOURHOODS WHERE YOU WANT TO LIVE

Les universités se trouvent dans le centre-ville de Montréal, à l'exception de l'Université de Montréal, moins centrale. Vivre proche de son lieu d'études (Métro Peel, McGill ou Berri-Uqam) peut être pratique mais cela implique de rester dans la 'jungle urbaine' : beaucoup de circulation, de monde … D'autres quartiers, pas trop éloignés des universités, sont plus calmes, plus résidentiels sans pour autant être ennuyants. C'est le cas notamment de Notre-Dame de Grâce, un quartier anglophone, plutôt à l'ouest de la ville, de la Petite Italie qui regorge d'épiceries … italiennes. Le Plateau Mont-Royal, très en vogue en raison de ses commerces de proximité et ses bars, a pour avantage sa proximité du centre-ville et, pour inconvénients, ses loyers un peu élevés.
The Universities are located downtown, except for l'Université de Montréal, which is less central. Living close to school (Peel, McGill or Berri-UQAM metro stations) might be practical, but it involves living in the midst of the urban jungle: lots of traffic, lots of people… Other neighbourhoods, not far from the universities, are more calm and residential without being boring. This is the case with NDG (Notre-Dame de Grâce), an anglophone neighbourhood to the west of downtown, or Little Italy to the north, which is full of Italian grocery stores and the market. The Plateau Mont-Royal, much in fashion because of its nearby shops and bars, has the advantage of being close to downtown, but the disadvantage of higher rent.

A SAVOIR POUR UNE LOCATION RÉUSSIE :

+ LA SALLE DE BAINS EST COMPTÉE COMME UNE DEMI-PIÈCE.
+ LA CUISINE EST COMPTÉE COMME UNE PIÈCE.
+ 'ÉQUIPÉ' OU 'SEMI-MEUBLÉ' SIGNIFIE QUE LES ÉLECTROMÉNAGERS DE BASE SONT LAISSÉS PAR L'ANCIEN OCCUPANT, MAIS PAS LES MEUBLES.
+ TOUJOURS DEMANDER SI LE CHAUFFAGE EST COMPRIS. SINON, COMPTER AUTOUR DE 75 $ PAR PERSONNE ET PAR MOIS POUR VOUS CHAUFFER EN HIVER (DE NOVEMBRE À MARS).

ESSENTIAL INFO FOR A SUCCESSFUL RENTAL:

+ THE BATHROOM COUNTS AS A HALF-ROOM.
+ THE KITCHEN COUNTS AS A ROOM.
+ « EQUIPPED » OR « SEMI-FURNISHED » MEANS THAT THE BASIC APPLIANCES WERE LEFT BY THE LAST OCCUPANT, BUT NOT THE FURNITURE.
+ ALWAYS ASK IF THE HEATING IS INCLUDED. IF NOT, CALCULATE AROUND $75 PER PERSON PER MONTH TO HEAT YOUR PLACE IN WINTER (FROM NOVEMBER TO MARCH).

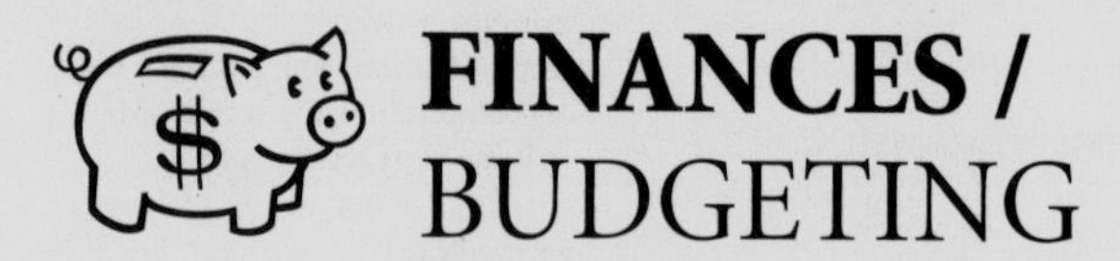

FINANCES / BUDGETING

Le coût de la vie à Montréal est moindre que dans les grandes villes européennes et américaines, mais plus élevé que dans les autres régions québécoises.

Voici un estimé des dépenses annuelles d'un étudiant à Montréal, hors frais d'inscription à l'université :

DÉPENSES ANNUELLES	
LOGEMENT	6 000 $
NOURRITURE	3 600 $
FOURNITURES SCOLAIRES	1 000 $
TRANSPORT LOCAL	400 $
COUVERTURE MÉDICALE (POUR LES ÉTUDIANTS ÉTRANGERS)	600 $
VÊTEMENTS	500 $
SORTIES	1 500 $
TOTAL	13 600 $

The cost of living in Montreal is less than that of the big cities of Europe or the United States, but more than that other regions in Quebec.

Here is an estimate of the annual expenses for a student in Montreal, not including university tuition:

ANNUAL EXPENSES	
HOUSING	$ 6 000
FOOD	$ 3 600
SCHOOL SUPPLIES	$ 1 000
LOCAL TRANSPORTATION	$ 400
MEDICAL COVERAGE (FOR FOREIGN STUDENTS)	$ 600
CLOTHES	$ 500
OUTINGS	$ 1 500
TOTAL	$ 13 600

© Lucas - FOTOLIA

S'ORIENTER : UN DÉFI TOUT AU LONG DE LA VIE ? / CAREER PLANNING: A LIFELONG CHALLENGE?

Ordre des conseillers et conseillères d'orientation et des psychoéducateurs et psychoéducatrices du Québec

SECTEUR ORIENTATION

Au-delà du fait d'effectuer un choix de formation, d'emploi ou de carrière, s'orienter renvoie à un processus de développement personnel et professionnel qui se déroule durant toute notre existence. À certaines périodes de la vie, ce processus est « en veilleuse », tandis qu'à d'autres moments, il peut occuper une place primordiale, déterminante, voire même pressante dans notre vie (entrée au cégep ou en formation professionnelle, période de chômage à la suite d'une mise à pied, prise de la retraite, etc.). **La démarche d'orientation renvoie** quant à elle à une série d'interventions ou d'activités qui permettent à la personne d'identifier ses caractéristiques personnelles, ses intérêts, ses compétences et ses capacités de manière à prendre des décisions et effectuer des choix éclairés dans sa vie et son développement de carrière, l'un et l'autre étant interdépendants. C'est la démarche qui permet de clarifier son identité, d'explorer les différentes possibilités qui s'offrent à soi et, surtout, de développer sa propre capacité à s'orienter. Dans un processus de choix de carrière, il est normal de vivre des périodes d'indécision et de craintes. Il en est de même pour toutes décisions majeures à prendre dans la vie. Il est tout à fait normal de traverser une période d'inconfort et de malaise.

On top of choosing your education, employment or career, picking a direction involves a process of personal and professional development that takes place during the whole of our lives. At certain times of our lives, this process is on pause, while at other moments, it can become dominant, a determining factor that gains in urgency (entering CEGEP or professional training, a period of unemployment or the result of

© johan.batier@sympatico.ca

getting fired, taking retirement, etc.).
The process of picking a direction involves a series of interventions of activities which permit the individual to identity his/her personality traits, interests, competencies and decision-making skills, which apply to life and career development, both of which are interdependent. It's the process which enables the definition of identity, the exploration of the different possibilities available, and above all the development of an inherent ability to pick a direction and take action. In the process of choosing a career, it's normal to live with periods of indecision and fear. This is true for all the major life decisions. It's absolutely normal to experience a period of discomfort and malaise.

INTÉGRER LE MARCHÉ DU TRAVAIL / JOINING THE WORKFORCE

Intégrer le marché du travail pour une première fois n'est pas toujours évident et peut être une source de stress. La personne doit bien se connaître, savoir ce qu'elle a à offrir comme connaissances, compétences et qualités personnelles. Il faut également qu'elle maîtrise les techniques de recherche d'emploi et, surtout, qu'elle identifie les secteurs d'emploi qui l'intéressent. C'est souvent le moment de concilier ses rêves et ses aspirations aux aspects plus contraignants des réalités de l'emploi.
En moyenne, une personne est appelée à effectuer quatre changements majeurs de choix de carrière au cours de sa vie active de travail. L'orientation est donc une série de choix qui se succèdent au fur et à mesure que la personne évolue et se développe.

Joining the workforce for the first time is not always easy and might even be a source of stress. The individual must know him/herself well and know how to present knowledge, competencies and personal qualities. It's also necessary to master job searching techniques, and above all, to identify and target the areas of interest. It's often the moment to reconcile dreams and aspirations with the realities of the job market.
On average, an individual makes four major career changes during his/her working life. Career planning is therefore a series of choices that lead the person to slowly evolve and develop.

Ressources . Pour tous les aspects reliés à votre orientation, un conseiller en orientation peut vous aider. Pour savoir où les trouver, consulter le www.orientation.qc.ca . Les quatre universités montréalaises disposent d'un service d'orientation gratuit pour leurs étudiants. C'est une bonne occasion de consulter un conseiller en orientation car les consultations privées, une fois les études terminées, sont relativement couteuses.
Resources. For anything related to career planning and picking a direction, a counsellor could help. To find out how to contact a counsellor, go to www.orientation.qc.ca . The four Montreal universities have Career Planning services free for students. It's a good time to consult with a counsellor in private sessions, because once your studies are over, these services are quite expensive.

TROUVER UN EMPLOI / FINDING A JOB

Vous rêvez de partir au bout du monde ou d'améliorer des fins de mois un peu serrées ? Alors, adressez-vous aux endroits suivants, que vous soyez à la recherche d'un emploi à temps partiel ou d'un emploi d'été. Ces services s'adressent également aux jeunes diplômés à la recherche d'un premier emploi.

Attention : Les étudiants étrangers ne possédant pas le statut de résident permanent doivent obtenir un permis pour avoir le droit de travailler. Pour cela, s'adresser au bureau des étudiants étrangers de son université ou à Immigration Canada.

Do you dream about going around the world or relieving the financial strain at the end of the month? Consult the following places, whether you are seeking a part-time job or a summer job. These services are also available for young graduates seeking their first full-time job.

Warning: Foreign students who do not have permanent resident status must obtain a permit to have the right to work. Contact the Foreign Students Services office at your university, or Immigration Canada.

CARREFOURS EMPLOI JEUNESSE

19 centres à Montréal.
La liste est disponible sur :
www.cjereseau.org
Le mandat des carrefours Emploi-jeunesse est d'accompagner et de guider les 16-35 ans dans leurs démarches d'insertion sociale et économique. En les aidant dans leur cheminement vers l'emploi ou vers un retour aux études ou dans le démarrage d'une petite entreprise, les services et activités des carrefours visent l'amélioration des conditions de vie des jeunes.
On y trouve, entre autres, des babillards avec des offres d'emploi à temps partiel et d'emplois l'été. Des conseillers en emploi guideront les jeunes diplômés, mais aussi les étudiants s'interrogeant sur leur orientation ainsi que ceux à la recherche d'un petit boulot.

19 centres in Montreal.
The list is available on:
www.cjereseau.org
The mandate of Carrefours Emploi-jeunesse is to follow and guide 16-35 year olds in their process of social and economic integration. By aiding them to find employment, to return to school or to start a small business, the services and activities of the Carrefours aim to improve the living conditions of young people. You will find bulletin boards with postings for full-time employment and summer jobs. Job counsellors will guide young graduates but also help students trying to decide what they want to do and those looking for a job while in school.

CAFÉ JEUNESSE

330, Émery
(514) 496 9040
Métro Berri-UQAM.
www.jeune-youth.cafe.gc.ca
Ouvert du lun au mer de 9h30 à 19h, le jeudi de 11h à 19h et le vendredi de 11h à 16h. Fermé en fin de semaine. Se présenter avec une carte d'identité pour accéder aux divers services.
Vous cherchez des informations en matière d'emploi, de création d'entreprise ou pour partir à l'étranger ? Vous trouverez de très bonnes pistes au Café Jeunesse, un café vraiment pas comme les autres. On n'y vient sûrement pas pour boire mais pour se renseigner sur tout ce que le gouvernement fédéral propose aux jeunes : programmes en matière d'emploi, de stages au Québec, au Canada et dans le monde. On obtient aussi des informations sur la nutrition, l'environnement, la culture, le voyage … Bref, tout ce qui vient du gouvernement fédéral et qui s'adresse aux 15 – 35 ans. Internet, un télécopieur, une photocopieuse, une imprimante et un téléphone sont mis à votre disposition gratuitement, si vous faites des recherches d'information dans les domaines reliés au Café jeunesse.
Open Mon-Wed 9:30am-7pm, Thurs 11am-7pm, Fri 11am-4pm. Closed on weekends. Present yourself with ID to access their services.
Are you looking for information about employment, starting a business or going abroad? You've come to the right place at Café Jeunesse, a café unlike any other. People don't really come here for a beverage, but to find out about everything the federal government offers young people: employment programmes, internships in Quebec, Canada and the world. You can also get information on nutrition, the environment, culture, travelling… In short, all the government's initiatives for 15-35 year-olds. Internet, photocopier, fax machine, printer and phone are available for free for Café Jeunesse-related research.

LE SERVICE DE PLACEMENT D'EMPLOI QUÉBEC / EMPLOI QUÉBEC PLACEMENT SERVICE

www.emploietudiant.qc.ca
Le service de placement d'Emploi Québec dépend du ministère de l'Emploi, de la solidarité et de la famille. Son but est de mettre en ligne des offres d'emploi destinées aux étudiants dans les services publics, les municipalités et les entreprises

privées. On s'inscrit en ligne et on accède aux offres d'emploi (temps partiel, emploi d'été, emploi pour jeunes diplômés). Ainsi, votre candidature peut être visionnée par des milliers d'employeurs et vous recevrez des alertes emplois dans votre boîte de courrier électronique.

The placement service of Emploi Quebec is an initiative of the Ministry of Employment, Solidarity and Family. Its goal is to post jobs on-line for students in public works, municipalities and private enterprise. Students sign up on-line to access the postings (part-time work, summer jobs, jobs for young graduates). This way, your application can be seen by thousands of employers and you will receive job alerts in your e-mail inbox.

VOTRE UNIVERSITÉ OU VOTRE ÉTABLISSEMENT D'ENSEIGNEMENT / YOUR UNIVERSITY OR YOUR SCHOOL

Les universités montréalaises et certains établissements d'enseignement supérieur disposent d'un service d'emploi. Vous y trouverez des annonces pour des emplois d'été ou à temps partiel : animation, représentation, télémarketing, etc. La paye horaire tourne autour de 10 $.

Ces services d'emploi peuvent également vous fournir des pistes pour chercher un premier emploi, une fois votre diplôme obtenu. Montreal universities and certain educational institutions have employement and placement services. You will find postings for summer or part-time jobs as animators, presenters, telemarketers, etc. The hourly pay is around $10.

Pour plus d'informations:
www.petitfute.ca

© www.freetimeproject.ca - Douglas Hospital, cours de Tai Chi.

POURQUOI S'ENGAGER/ WHY YOU SHOULD GET INVOLVED

Engagez-vous, rengagez-vous, qu'ils disaient! Plus qu'une simple maxime, l'engagement communautaire prend vraiment tout son sens pour les étudiants à Montréal. En effet, avides de savoir ou de relations humaines, habiles de la plume ou de la casserole, tous les étudiants trouveront leur compte dans la variété des implications bénévoles possibles. Et les avantages sont multiples ! Stratégiques et businessmen chercheront à acquérir ou à développer des compétences diverses, peaufinant leur profil d'employé en devenir. Les perfectionnistes y verront une occasion de se familiariser avec les termes et les tâches d'un emploi qu'ils souhaitent occuper, bénéficiant d'une longueur d'avance sur leurs plus proches compétiteurs. Les esprits pratiques apprécieront l'expérience de terrain qu'ils pourront vivre, laquelle complète parfaitement une formation académique parfois très théorique. Quant aux passionnés des relations humaines - et ils sont nombreux - le bénévolat leur permettra d'entrer en contact avec des personnes de toutes origines et parcours de vie! Ainsi, le bénévolat peut vous permettre de personnifier le Père Noël pour correspondre avec de jeunes enfants (la Maison des enfants), de jouer les fiers-à-bras pour livrer des repas (popotes roulantes), de faire visiter Montréal à un nouvel arrivant (La Maisonnée), d'organiser des activités pour les personnes âgées, etc. Si les occasions sont multiples, les bénéfices le sont tout autant. Alors, allez-y, contactez votre Centre d'action bénévole le plus proche, et **engagez-vous, rengagez-vous !**

Texte rédigé par Gabrielle Richard, Centre d'action bénévole de Montréal.

Get involved! Community involvement takes all forms for students in Montreal. In fact, those hungry for knowledge or interpersonal relationships, or those skilled with the pen or the fry pan, can find the right place to volunteer in all kinds of settings. And the advantages abound! Those strategic thinkers and entrepreneurs seeking to acquire or develop many types of skills will refine their employee profile for future employment.

© www.freetimeproject.ca
Douglas Hospital, Dalse snack bar

Perfectionists will get the opportunity to learn about the terminology and tasks of the job they wish to do, getting a head start on the competition. Practical types will appreciate the field experience they'll receive, which perfectly complements their academic training, which can sometimes be very theoretical. For those who are passionate about interpersonal relationships—and they are many—volunteer work brings them to interact with people from all backgrounds and life paths! In this manner, volunteering gives you the opportunity to personify Santa Claus and spend time with young children (The Maison des Enfants), to play the strong-(wo)man and deliver meals (Meals on Wheels), to show a newly arrived Montrealer around town (La Maisonnée), to organise activities for golden agers, etc. The more types of opportunities, the more varied the volunteers. So, go ahead, contact the Volunteer Bureau nearest you, and **get involved!**

Text written by Gabrielle Richard, Volunteer Bureau of Montreal.

LIEUX D'INFORMATIONS POUR L'ENGAGEMENT LOCAL / FIND INFORMATION ABOUT GETTING INVOLVED LOCALY

ASSOCIATIONS UNIVERSITAIRES / UNIVERSITY ASSOCIATIONS

Les étudiants des universités peuvent consulter le bureau des étudiants, qui chapeaute les diverses associations implantées dans leur établissement. Par exemple, Amnistie Internationale dispose d'une section dans toutes les universités de Montréal. Des clubs de débats, des groupes politiques de tous bords, soutenant par exemple les Tibétains ou les Palestiniens, recherchent constamment des bénévoles pour les rejoindre dans leurs luttes. Pour ceux préférant des engagements plus pratiques, renseignez-vous du côté d'Ingénieurs sans frontières (pour les étudiants en génie seulement) ou de groupes s'occupant de faire

des repas bios (comme le Frigo vert à Concordia) …
University students can consult Student Services, which give information about many associations. For example, Amnesty International has a chapter at each of the Montreal universities. Debate clubs, political organisations of all stripes, for example supporting the Tibetans or the Palestinians, are constantly looking for volunteers to join them in their fight. For those who prefer their involvement to be more practical, get information about Engineers Without Borders (for Engineering students only) or groups who make organic meals (like the Frigo Vert at Concordia).

CENTRE D'ACTION BÉNÉVOLE DE MONTRÉAL / VOLUNTEER BUREAU OF MONTREAL
2015, Drummond, bureau 300
(514) 842-3351
www.cabm.net
Métro Peel.
Fondé en 1937, ce centre reçoit de nombreuses demandes de bénévoles, venant de plus de 835 organismes, oeuvrant dans des domaines aussi variés que la santé, le développement communautaire, les sports et loisirs, l'éducation, l'environnement, les arts et la culture, etc Vous pouvez consulter les offres sur internet ou vous rendre sur place où vous serez aiguillés par des conseiller(ère)s qui vous mettront en contact avec un ou plusieurs organismes.
Peel Metro.
Founded in 1937, this centre receives many requests for volunteers from more than 835 organisations, working in such diverse areas as health, community development, sports and recreation, education, the environment, arts and culture, etc. You can consult the requests posted on the internet, or go to the office in person to get some direction from the counselors who will putyou in touch with one or more organisations.

QUELQUES EXEMPLES D'ORGANISMES RECRUTEURS / SOME RECRUITING ORGANISATIONS

ALPHABÉTISATION
LE COLLÈGE FRONTIÈRE
www.collegefrontiere.ca

PAUVRETÉ, PERSONNES DÉMUNIES
LA SOCIÉTÉ SAINT-VINCENT DE PAUL
www.ssvp-mtl.org

ADULTES HANDICAPÉS PHYSIQUE
INSTITUT DE RÉADAPTATION DE MONTRÉAL
www.irm.qc.ca

SPORTS POUR NON-VOYANTS
ASSOCIATION DES SPORTS POUR AVEUGLES DE MONTRÉAL
www.sportsaveugles.qc.ca

ACCUEIL DES ÉTUDIANTS INTERNATIONAUX
AFS INTERCULTURE CANADA
www.afscanada.org

ILLITERACY
FRONTIER COLLEGE
www.collegefrontiere.ca

POVERTY AND THE HOMELESS
SAINT-VINCENT DE PAUL SOCIETY
www.ssvp-mtl.org

ADULTS WITH PHYSICAL DISABILITIES
INSTITUT DE RÉADAPTATION DE MONTRÉAL
www.irm.qc.ca

SPORTS FOR THE VISUALLY IMPAIRED
ASSOCIATION DES SPORTS POUR AVEUGLES DE MONTRÉAL
www.sportsaveugles.qc.ca

WELCOMING INTERNATIONAL STUDENTS
AFS INTERCULTURE CANADA
www.afscanada.org

CENTRAIDE DU GRAND MONTRÉAL
493, Sherbrooke O/W
(514) 288 1261
www.centraide-mtl.org
Centraide assure une double mission. L'organisme collecte des fonds dans les entreprises et chez les particuliers afin de les redistribuer aux associations qui en ont besoin. Et Centraide fait connaître les différents organismes oeuvrant pour le bien-être de la communauté.
Centraide has a double mission. The organisation collects donations in businesses and companies as well as

© www.freetimeproject.ca
Mackay Centre School

individuals and restributes the money to associations that need fuding. Centraide also publicises various community organisations.

CHANGEONS LE MONDE ! / CHANGING THE WORLD!

Par / By Julie Médam

Il y a tellement de projets à bâtir à l'international : qu'il s'agisse de réaliser un documentaire, donner des ateliers de fabrication de marionnettes ou de sensibiliser au port du condom, vos efforts seront utiles à quelqu'un. En plus, cette expérience internationale vous métamorphosera.
Bonne découverte!

There are so many international projects: whether they involve directing a documentary, leading puppet-building workshops or teaching the proper way to wear a condom, your efforts will help someone. Plus, this international experience will transform you.
Happy Discovering!

WEBOGRAPHIE/WEBOGRAPHY

CAFÉ JEUNESSE
330, Émery
www.jeune-youth.cafe.gc.ca
Métro Berri-UQAM.
Il s'agit d'un centre d'information gouvernemental destiné aux jeunes et idéal pour démarrer vos recherches et saisir l'ampleur des possibilités qui s'offrent à vous.
Berri-UQAM Metro.
A governmental information centre made for youth, perfect for kicking off your research and getting a sense of the possibilities available for you.

Programmes d'engagement international pour jeunes Canadiens et résidents permanents /
International Volunteer Programs for Young Canadians and Permanent Residents
Découvrez ces divers programmes qui vous permettront d'aider des gens et de vous rendre service en dénichant un stage ou un emploi à l'international, lié à vos études.
Discover a variety of programs that will give you the opportunity to help people and to get an internship or an international job related to your studies.

Jeunesse Canada au Travail - Patrimoine canadien et Parcs Canada /
Young Canada Works—Heritage Canada and Parks Canada

www.pch.gc.ca/ycw-jct

Stages internationaux pour les jeunes proposé par l'Agence canadienne de développement international (ACDI)/ International Youth Internship Program initiated by the Canadian International Development Agency
www.acdi-cida.gc.ca

Programmes internationaux pour les jeunes du ministère des Affaires étrangères du Canada / International Youth Programs initiated by Foreign Affairs Canada
http://www.dfait-maeci.gc.ca/culture/youth-fr.asp

Association canadienne pour les Nations-Unies/ The United Nations Association in Canada
www.unac.org

Programmes de coopération du ministère des Relations internationales du Québec/ Cooperation Programs of the Quebec Ministry of International Relations
Ces trois agences offrent aux jeunes des bourses, des stages et des formations pour les inciter à s'envoler vers la France, la Belgique ou l'Amérique latine. Que demander de mieux!
These three agencies offer funding, internships and training to encourage students to head for France, Belgium or Latin America. What else could you ask for?

Agence Québec-Wallonie-Bruxelles pour la Jeunesse
http://aqwbj.org/

Office Québec-Amériques pour la jeunesse
www.oqaj.gouv.qc.ca

Office Franco-québécois pour la jeunesse
www.ofqj.gouv.qc.ca

Jetez aussi un coup d'œil à / Also consult :
www.mri.gouv.qc.ca/fr/ouvrir_au_monde

Association québécoise des organismes de coopération internationale / Quebec association of international cooperation
www.aqoci.qc.ca
54 organismes vous offrent la possibilité de vous engager concrètement auprès de communautés en voie de développement. Vous voulez, par exemple, faire un stage en radio communautaire, en technique agricole ou en santé communautaire?
Découvrez le programme Québec sans Frontières : **www.quebecsansfrontieres.com**
54 organisations offer the possibility for you to get involved in a developing community. For example, are you interested in doing an internship in community radio, in agriculture, or in community health?
Look up Québec sans Frontières:
www.quebecsansfrontieres.com

CHANTIERS JEUNESSE
www.cj.qc.ca
Les Chantiers à l'étranger vous intéresseront car ils assouviront votre soif de l'aventure et votre intérêt pour l'engagement. Vous devez avoir envie de collaborer au développement d'une communauté et de vivre une expérience en groupe, avec des jeunes du monde entier. En échange, vous êtes logé et nourri pour la durée du projet. Imaginez-vous en train d'organiser pour des enfants défavorisés un jeu de piste environnemental à Hay-on-Wye (Pays de Galles) , de rénover un musée au centre de Qeqertarsuaq (Groenland) ou encore de travailler dans le Parc national du Mont Seorak (Corée du Sud).
Les Chantiers à l'étranger are worthy of note because they'll quench your thirst for adventure and involvement. You have to be willing to contribute to the development of a community and to live with a group of young people from around the world. In exchange, you will be housed and fed during of the project. Imagine yourself organising an environmental scavenger hunt for disadvantaged kids at Hay-on-Wye (in Wales), renovating a museum in the centre of Qeqertarsuaq (Greenland) or working in the Mont Seorak National Park (South Korea).

© www.freetimeproject.ca
Herstreet's Olga House

ET SI VOTRE CŒUR SONNE DAVANTAGE… / IF YOUR HEART IS CRYING OUT…

CIRQUE? / CIRCUS?

CIRQUE DU MONDE

www.cirquedusoleil.com

Des agences nationales soutenues par le Cirque du Soleil vous permettront de donner le sourire en faisant le clown dans divers lieux de la planète.

National agencies supported by the Cirque du Soleil will allow you to make people smile while acting the clown in many places around the globe.

NOUVELLES TECHNOLOGIES DE L'INFORMATION? / NEW INFORMATION TECHNOLOGIES?

CYBERJEUNES INTERNATIONAL

www.netcorps-cyberjeunes.org

Voici un moyen de participer à la démocratisation de l'accès aux nouvelles technologies de l'information en initiant des gens de pays en voie de développement.

Here is a way to participate in the democratisation of access to new information technologies by instructing people of a developing country.

GÉNIE? / ENGINEERING?

INGÉNIEURS SANS FRONTIÈRES/ ENGINEERS WITHOUT BORDERS

www.isfq.qc.ca

Comment guérir quand il n'y a pas d'infrastructure sanitaire dans le village? Retroussez-vous les manches et améliorez l'aménagement d'une communauté.

How can the healing begin when there is no sanitation infrastructure in the village? Put your sleves up and help organizing a community.

ENVIRONNEMENT? / THE ENVIRONMENT?

SERVICE ÉCOJEUNESSE/ ECO CANADA YOUTH SERVICES

www.cchrei.ca

Sensibilisez les autres à l'importance de la protection de l'environnement et changez concrètement les choses.

Sensitise others to the importance of protecting the environment and changing things for real.

MUSIQUE? / MUSIC?

JEUNES MUSICIENS DU MONDE / YOUNG MUSICIANS OF THE WORLD

www.jeunesmusiciensdumonde.org

Vous croyez que la musique adoucit les mœurs? Convainquez des jeunes à participer à la richesse culturelle de leur pays par l'entremise de la musique.

You believe that music reforms bad morals? Convince young folks to participate in the cultural richness of their country by musical intervention.

© Suprijono Suharjoto - FOTOLIA

LES DÉMARCHES ADMINISTRATIVES/ ADMINISTRATIVE PROCEDURES

OBTENIR SON PERMIS D'ÉTUDES / GETTING YOUR STUDY PERMIT

Texte revu et corrigé par Immigration Canada /
Text Revised and Corrected by Immigration Canada

Ça y est ! Vous avez été accepté dans un établissement d'enseignement au Québec et vous vous apprêtez à partir ! Alors, commencez vite les démarches pour obtenir l'indispensable permis d'études ! Nous vous indiquons les étapes dans les grandes lignes, vous trouverez les détails sur internet. Un conseil : commencez les démarches dès la réception de votre acceptation dans un établissement d'enseignement québécois, suivez les étapes sérieusement et ne paniquez pas !

Dans la grande majorité des cas, pour étudier au Québec, un permis d'études est exigé. Les ressortissants de certains pays devront également obtenir leur visa de résident temporaire pour étudier au Québec. Il n'est pas nécessaire de faire une démarche spécifique pour l'obtenir. On vous l'octroiera avec votre permis d'études.
Pour étudier au Québec, il faut d'abord obtenir le Certificat d'Acceptation au Québec (CAQ). Pour cela, il est demandé de remplir un formulaire, d'apporter la preuve de son acceptation dans un établissement d'enseignement québécois, des preuves d'identité et de ressources financières. Vous enverrez ces documents, accompagnés de 100 $ au bureau des étudiants étrangers à Montréal.
Tous les détails et le formulaire se trouvent sur :
www.immigration-quebec.gouv.qc.ca

Une fois votre CAQ en main, il faut faire la demande du permis d'études auprès du gouvernement du Canada. Les preuves d'acceptation dans un établissement d'enseignement, d'identité et de ressources vous seront demandées à nouveau. Vous déposerez ces documents avec un formulaire et 125 $ dans une ambassade ou un consulat canadien dans votre pays. On vous remettra alors une lettre qui

vous permettra de faire estampiller votre passeport avec un permis d'études à votre arrivée sur le territoire canadien.
Tous les détails et le formulaire se trouvent sur : **www.cic.gc.ca**

It's happening! You've been accepted in a school in Quebec and you're preparing to leave! You must quickly begin the procedures to obtain the indispensible study permit. We outline the steps for you below, but you'll have to get the details from the Internet. One tip : start the procedures as soon as you receive your acceptance, follow each step carefully, and whatever you do, don't panic!
In most cases, a study permit is necessary to study in Quebec. Students from other countries may also have to get a visa de résident temporaire (temporary resident visa) to study in Quebec. It's not necessary to follow a separate procedure to get it. It should come with your study permit.
To study in Quebec, you have to first obtain the Certificat d'Acceptation au Québec (CAQ). You have to fill out a form, and show proof of your acceptance to a Quebec educational institution, proof of identity and financial resources. You must send these documents, plus $100, to the Bureau des étudiants étrangers (Foreign Students' Bureau) in Montreal.
All the details and the form can be found at **www.immigration-quebec.gouv.qc.ca**

Once you have your CAQ, you have to apply for the study permit from the Government of Canada. You'll have to send your acceptance letter, pieces of ID and proof of finances along with another form and $125 to a Canadian embassy or consulate in your country. You'll receive a letter that will enable you to stamp your passport with a study permit when you arrive in Canada.
For details and the form, go to **www.cic.gc.ca**

A L'ARRIVÉE À L'AÉROPORT / WHEN YOU LAND AT THE AIRPORT

À votre arrivée au Canada, vous devez présenter votre passeport et votre permis d'études à un agent de Citoyenneté et immigration Canada (CIC). Il estampillera dans votre passeport la date de votre départ du Canada. Assurez-vous que le permis accordé est valide pour toute la durée de votre séjour. Si vous avez besoin de prolonger votre permis, appelez au Télécentre du service citoyenneté et immigration Canada (depuis le Canada : 1-888-242-2100). Autrement, ne dépassez pas la date estampillée dans votre passeport. Ne sortez surtout pas de l'aéroport avant d'être passé par le bureau des douanes. Dans le cas contraire, il vous faudra à nouveau franchir la frontière canadienne.
When you get to Canada, you must show your passport and your study permit to the Citizenship and Immigration Canada (CIC) agent. S/he will stamp your passport with the date you will be leaving Canada. Make sure that the permit is valid for the length of your stay in Canada. If you have to extend your permit, call the phone centre of the CIC (in Canada: 1-888-242-2100). Otherwise, do not stay past the date stamped in your passport. Do not leave the airport before going to Customs. If you do, you will have to cross the Canadian border again.

ASSURANCE-MALADIE POUR LES ÉTUDIANTS ÉTRANGERS / HEALTH INSURANCE FOR FOREIGN STUDENTS

Les soins médicaux, hospitaliers et dentaires coûtent relativement chers au Canada. En tant qu'étudiant étranger, vous n'êtes pas assuré par le gouvernement fédéral du Canada.
L'établissement d'enseignement où vous irez propose probablement une assurance-maladie aux étudiants étranger (compter autour de 600 $ pour l'année). Si l'assurance offerte par cet établissement ne répond pas à vos besoins, vous devrez prendre d'autres dispositions à cet effet avant de quitter votre pays.
Certaines exceptions existent : les ressortissants du Danemark, de la Finlande, de la France, du Luxembourg, de la Norvège, du Portugal et de Suède, qui sont couverts par le régime d'assurance maladie de leur pays sont couverts gratuitement par le régime d'assurance maladie du Québec (RAMQ). Ce régime ne rembourse pas les médicaments, les frais dentaires et les lunettes. Cependant les étudiants de France sont couverts par le régime public d'assurance médicaments québécois en vertu de l'entente de sécurité sociale entre la France et le Québec. Si vous êtes ressortissants d'un de ces pays et encore couvert par une assurance maladie, présentez

vous à la RAMQ, au 425 Blvd de Maisonneuve Ouest, 3e étage. Il faudra vous munir des pièces suivantes :
+ l'attestation d'affiliation au régime du pays d'origine;
+ le certificat d'acceptation du Québec;
+ l'attestation d'inscription à temps plein dans un établissement collégial ou universitaire;
+ le formulaire Première inscription, fourni sur demande téléphonique à la Régie au (514) 864-3411);
Les ayants droit (conjoint et personnes à charge) qui accompagnent le travailleur ou l'étudiant et dont le nom apparaît sur l'attestation d'affiliation délivrée par l'institution compétente, sont également couverts. À noter que tout ayant droit qui s'établit au Québec doit obligatoirement être muni de l'original des documents d'immigration délivrés par les autorités canadiennes et québécoises pour bénéficier du régime d'assurance maladie du Québec.

Medical, hospital and dental care cost a lot in Canada. Since you are a foreign student, you are not insured by the Canadian government. The educational institution at which you are enrolled probably has health insurance for its foreign students (which will cost about $600 a year). If the insurance offered by the institution doesn't meet your needs, you will have to find other means before you leave your country. Certain exceptions exist: students from Denmark, Finland, France, Luxembourg, Norway, Portugal and Sweden, who are covered by the healthcare plan in their countries, are covered for free in Quebec (RAMQ). This plan does not reimburse you for prescription drugs, dental care or glasses. However, students from France are covered by the Quebec Prescription Drug Plan because of a social security agreement between France and Quebec. If you are coming from one of these countries, go to the RAMQ, 425 de Maisonneuve Blvd. W, 3rd floor. You have to present the following pieces of ID:
+ proof of coverage by the plan of your country of origin ;
+ your Quebec acceptance letter ;
+ proof of full-time enrollment at a college or university
+ the form Première inscription, which you must request by phone from the Régie at (514) 864-3411;
The claimants (spouse and dependents) who are accompanying the worker or student and whose names appear on the proof of coverage by the appropriate institution will also be covered. Please note that all claimants established in Quebec must also have original immigration documents approved by the Canadian and Quebec authorities in order to benefit from the Quebec Health Insurance Plan.

TRAVAILLER AU QUÉBEC / WORKING IN QUEBEC

Les étudiants étrangers peuvent être autorisés à travailler pendant qu'ils poursuivent leurs études, dans des cas très particuliers uniquement. Il faut se renseigner auprès du bureau des étudiants internationaux de son université et d'Immigration Canada pour savoir quels sont vos droits.
Pour les étudiants étrangers inscrits dans un programme quebecois (donc, pas en échange) il est possible de travailler dans les conditions suivantes :
+ avoir un emploi qui fait partie de votre programme d'études, par exemple, un stage durant l'année;
+ dans le cadre d'un programme coopératif;
+ vous voulez travailler sur le campus;
+ vous voulez travailler pendant un an au maximum dans un domaine lié à vos études, après l'obtention de votre diplôme. Dans ce cas, vous avez trois mois pour trouver un emploi ;
+ depuis 2006, une loi est votée ouvrant le droit de travailler hors campus, pendant ses études. Le bureau des étudiants étrangers vous précisera les conditions.

Foreign Students can get authorisation to work while they are pursuing their studies in exceptional circumstances. You must make inquiries at the Foreign Student Services office at your university and at Immigration Canada in order to find out your rights.
For foreign students registered in a Quebec program (not in an exchange), it's possible to work under the following conditions:
+ at a job that is part of your programme of study, for example, an internship during the school year;
+ in the context of a co-op programme;
+ at a job on campus;
+ at a job related to your studies, for one year following graduation. In this case, you have three months to find a position;
+ since 2006, a law passed regulating the right

to work off-campus during your studies. The foreign students office of your university will outline the conditions of employment.

LE NUMÉRO D'ASSURANCE SOCIALE / SOCIAL INSURANCE NUMBER

Le numéro d'assurance sociale (NAS) est utile dans plusieurs circonstances, notamment dans les rapports avec des organismes gouvernementaux et des institutions financières, ainsi que lors de contacts avec d'éventuels employeurs.
Le formulaire requis pour obtenir votre NAS est disponible sur internet et dans les huit centres habilités à Montréal.
The Social Insurance Number (SIN) is useful in many circumstances, specially in your relations with governmental organisations and financial institutions, as well as in your relationship with eventual employers. The form to get your SIN is available on the Internet as well as at 8 local offices in Montreal.

Pour obtenir votre NAS
+ Remplissez le formulaire requis.
+ Si vous vous établissez à Montréal, présentez ce formulaire et vos pièces d'identité dans un des huit centres habilités.
+ N'oubliez surtout pas d'inscrire sur ce formulaire une adresse postale où vous pourrez, dans les semaines qui suivent, recevoir la carte plastifiée portant votre numéro d'assurance sociale.
+ Signez votre carte dès que vous la recevez et conservez-la en lieu sûr.

To Obtain Your SIN
+ Fill out the required form.
+ If you are established in Montreal, present the form and your pieces of ID to one of the 8 offices in Montreal.
+ Don't forget to give a postal address on the form where you can receive the plastic card with your SIN in the weeks following the submission of your application.

Pour la liste des centre habilités
et pour télécharger le formulaire :
www.dsc.gc.ca
For the List of Local Offices
and to Download the Form:
www.sdc.gc.ca

LE PERMIS DE CONDUIRE / DRIVING LICENSE

Le permis de conduire des étudiants et des stagiaires étrangers est valable au Québec, pendant la durée de leurs études ou de leur stage. Dans ces cas-là, nul besoin d'un permis de conduire du Québec.

Pour en savoir plus : Site internet de la société de l'assurance automobile :
www.saaq.gouv.qc.ca

The driving license of most foreign students and interns is valid in Quebec during the length of your studies or internship. In these cases, you don't need a Quebec license.
To find out more: website of The Société de l'assurance automobile: **www.saaq.gouv.qc.ca**

LE SYSTÈME SCOLAIRE QUÉBÉCOIS / THE QUEBEC SCHOOL SYSTEM

GÉNÉRALITÉS SUR LE SYSTÈME PRÉ-UNIVERSITAIRE QUÉBÉCOIS / GENERAL INFORMATION ABOUT THE PRE-UNIVERSITY SYSTEM

Les Québécois passent par la maternelle (facultative), le primaire, le secondaire. A 17 ans, ils entrent au CEGEP (collège d'enseignement général et professionnel). Ils y restent en général deux ans, mais parfois plus. Ils se spécialisent dans une branche de savoirs (sciences humaines, sciences pures, arts …). La particularité du système d'enseignement québécois (du moins par rapport au français) réside dans son aspect pratique et spécialisé. On consacre plus de temps aux applications directes, moins à la culture générale.
Quebecers go to nursery school (optional), elementary school and high school. At age 17, students go to CEGEP ("Collège d'enseignement général et professionnel," i.e. General and Professional College). They stay

© Udo Kroener - FOTOLIA

Sports complexes, student associations and campus culture offer much to satisfy the most demanding students!
Compared to the U.S. and Europe, the overall cost of studies are the same or less. The government funds a large portion of the cost. The cost of living is less than in the U.S. and many European countries.

for two years, sometimes more. They specialise in a branch of learning (Social Sciences, Pure Sciences, Arts…) The uniqueness of Quebec's education system (compared to the French one) resides in its practical and specialised nature. More time is spent on direct application of knowledge, less on general knowledge.

LE SYSTÈME UNIVERSITAIRE QUÉBÉCOIS / THE QUEBEC UNIVERSITY SYSTEM

Les universités et collèges de Montréal sont réputés mondialement pour la qualité de leur enseignement et leurs travaux de recherche. Leurs diplômes sont considérés comme de niveau équivalent à ceux décernés par les universités des États-Unis et de l'Union Européenne.

Les installations sportives, les associations rythmant la vie étudiante et la culture autour des campus devraient satisfaire les plus exigeants !
Comparativement aux États-Unis et à l'Europe, les coûts globaux d'études sont égaux ou moindres. Le gouvernement subventionne largement le prix des cours. Le coût de la vie est inférieur à celui des États-Unis et de nombreux pays européens.

The universities and colleges in Montreal are recognised around the world for the quality of instruction and for their research. These degrees are considered to be of a level equivalent to those of the United States and the European Union.

LES DIFFÉRENTS DIPLÔMES / THE DIFFERENTS DEGREES

A l'université, on entre dans un premier cycle qui s'achève par un baccalauréat (plus connu sous le nom de bac). On l'obtient au bout de 3 à 4 ans d'études à temps plein.
Pour se spécialiser, on s'inscrit à une maitrise. Un étudiant à temps plein peut l'obtenir en deux ans.
Ensuite, vient le PhD ou doctorat qui dure deux ans au minimum. Les bourses pour financer le doctorat sont nombreuses.
Les universités et collèges privés proposent aussi différents certificats, souvent très professionnalisant et de plus courte durée que les autres cycles.
At university, undergraduate studies lead to a Bachelor's, which takes 3-4 years of full-time studies to obtain.
To specialise, you enroll in a Master's, which takes two years with full-time study.
Then comes the Ph.D. or Doctorate, which takes a minimum of two years. Many grants are available to finance doctoral degrees.
Private colleges and universities also offer other certificates, often related to a particular profession, and of shorter duration than the three levels of study.

LANGUES / LANGUAGES

Le Canada a deux langues officielles, le français et l'anglais. Vous devez posséder l'une de ces deux langues pour suivre les cours et faire les lectures exigées. Il n'est pas obligatoire d'être bilingue pour fréquenter une université québécoise. Certaines écoles

post-secondaires pourraient vous demander de passer un examen de langue (TOEFL ou autre). Les écoles fixent elles-mêmes leurs exigences linguistiques. Le registraire de ces écoles vous renseignera à ce sujet. Certaines universités, comme Concordia ou McGill, enseignent principalement en anglais, contrairement à l'Université de Montréal ou à l'UQAM, où l'enseignement se fait en français. Les universités anglophones sont obligées d'accepter les devoirs en français. Par contre, les universités francophones peuvent refuser les travaux en anglais.
There are two official languages in Canada, French and English. You have to know one of the two languages to take courses and do the required reading. You don't have to be bilingual to go to a Quebec university. Certain post-secondary schools might ask you to pass a language test (TOEFL or other). The schools set their own language requirements. The Registrar's Office of each school will give you information about the language requirement.
Certain universities, such as Concordia and McGill, teach mainly in English, whereas University of Montreal and UQAM teach mainly in French. The anglophone universities are required to accept work in French.

POSTULER À UNE UNIVERSITÉ MONTRÉALAISE / APPLYING TO A MONTREAL UNIVERSITY

Chaque université et école fixe son système de sélection. L'admission se fait sur dossier. Les étudiants étrangers doivent le faire parvenir entre décembre et février pour la session de septembre, et entre avril et juin pour la session de janvier (attention, il n'existe pas de session d'hiver pour tous les programmes). En général, on peut mener toutes ces démarches par internet.
Every university and school implements its own process of selection. Admissions are based on the application. Foreign students must apply between December and February for the fall session, and between April and June for the winter session (but beware, not all programmes have winter sessions). In general, you can find out everything you need to know on the Internet.

SYSTÈME DE NOTATION / MARKING SYSTEM

Chaque diplôme est attribué sous condition que l'on ait obtenu le nombre de crédits suffisants. A chaque cours correspond un nombre de crédits. Par semestre (automne, hiver, été) on assiste à, environ 5 cours au bac et 2 en maîtrise. Les professeurs notent avec des lettres qui correspondent ensuite à des points. Ces derniers, pondérés avec les crédits forment une moyenne chiffrée, que l'on vous demandera pour passer au cycle supérieur ou quand vous postulez à un emploi.
Pour en savoir plus :
SITE DU GOUVERNEMENT CANADIEN SUR LES ÉTUDES : www.studyincanada.com
Une mine de détails sur le système éducatif canadien.

Every degree or diploma is granted on the condition that you obtain the correct number of credits. By semester (fall, winter, summer), you must take 5 courses for the Bachelor's and 2 for the Master's.
Professors give letter grades that correspond to number grades. These number grades are weighted with credits which form a numbered average, and which you must present to get to the next level of studies or when you apply for a job.
To find out more:
GOVERNMENT OF CANADA WEBSITE ON STUDYING : www.studyincanada.com
A wealth of details about the Canadian educational system.

LES RELATIONS AVEC LES PROFESSEURS / INTERACTION WITH PROFESSORS

Les relations entre étudiants et professeurs se caractérisent par leur régularité et leur simplicité. Il ne faut surtout pas hésiter à poser des questions à ses professeurs, que ce soit par courriel, téléphone ou en se rendant directement à leurs bureaux. D'ailleurs, la plupart d'entre eux vous indiqueront leurs disponibilités durant les premiers cours.
Interaction between students and professors is characterised by their regularity and simplicity. Don't hesitate to ask questions of your professors, whether by e-mail, phone, or by going directly to their office. Most will indicate their availability in the first class.

Bibliothèque Nationale du Québec © Benji Wahiche

MONTRÉAL GRATUIT

Parce qu'on ne peut pas tous les soirs se payer un restaurant ou une place au théâtre, voilà une liste des activités gratuites à Montréal.

1. ENTRÉE LIBRE AUX MUSÉES
+ Musée des Beaux Arts. Entrée libre à tous moments à la riche collection permanente.
(Par contre, les dons sont bienvenus)
+ Centre Canadien d'Architecture. Un bel édifice dans lequel des expositions explorent une facette méconnue de l'architecture de la ville. Entrée libre le jeudi de 17h30 à 21h.
- Le Musée d'Art Contemporain. Entrée libre le mercredi de 18h à 21h.
- Le Musée Redpath sur le campus de McGill. Consacré à l'histoire naturelle, il abrite plusieurs squelettes de dinosaures et des momies. Entrée libre en tous temps.

2. SPECTACLES

- La programmation de la Tohu, Cité des arts du cirque, comprend de nombreux spectacles gratuits (cirque, musique, etc), de très bonne qualité (voir sur : www.tohu.ca)
- En été, le Théâtre de Verdure, dans le parc Lafontaine diffuse des spectacles de danse, cinéma, théâtre qui attirent beaucoup de monde. Pour la programmation : (514) 872-2644.
- Les maisons de la culture, dans tous les quartiers organisent régulièrement des projections, spectacles de danse etc. (programme sur : www.ville.montreal.qc.ca/maisons)
- Les quatre universités ouvrent leurs portes pour des projections de films, des conférences, des spectacles etc. Vous trouverez les renseignements sur leur site :
http://www.mcgill.ca/calendar/
http://www3.concordia.ca/events/
www.uqam.ca Puis cliquez sur événements
www.umontreal.ca Puis cliquez sur calendrier dans le cadre Actualités
- Les très nombreux festivals de Montréal offrent généralement des spectacles gratuits. C'est le cas notamment du Festival Montréal en Lumières en hiver et du Festival de jazz en été.

3. SPORTS

- 50 piscines intérieures (entrée libre ou peu chère), et de nombreuses piscines extérieures sont ouvertes aux nageurs. Voir www.villemontreal.qc.ca
- 6 grands parcs nature sont accessibles au public. On peut y passer la journée, faire du ski de fond, du vélo, se baigner etc. Voir www.villemontreal.qc.ca
- Patinoires. En hiver, de nombreuses patinoires accueillent gratuitement les hockeyeurs et patineurs. Les deux plus grandes patinoires sont celle du Mont-Royal et du parc Lafontaine. Voir www.villemontreal.qc.ca On trouvera sur le site l'état des patinoires.
- Pistes cyclables. Il y a près de 350 km de pistes cyclables sur l'île de Montréal.

4. LECTURE LIBRE

- La Bibliothèque nationale du Québec met en consultation une large sélection de journaux et magazines. La section Actualités est ouverte tous les jours de 10h à minuit.
- La Bibliothèque nationale permet à ses adhérents d'emprunter des livres durant trois semaines. Il suffit de s'inscrire.
- Le réseau des 55 bibliothèques municipales permet d'emprunter des livres et de lire des magazines sur place, près de chez soi (pour en savoir plus : www.ville.montreal.qc.ca/biblio/).
- Les quotidiens d'informations générales, Métro (distribués dans les stations de métro) et 24 heures (distribués à côté des stations) donnent une idée succincte de l'actualité.
- Les hebdomadaires d'information sur l'actualité des sorties à Montréal (Voir, Ici, Hours) sont des lectures indispensables pour ceux qui veulent savoir ce qui se passe.

5. SURFER SUR LE WEB

- Le réseau Île sans fils. Grâce aux conseils de cette association, une centaine de cafés et restaurants sont équipés d'antennes Wifi. Les détenteurs d'un ordinateur portable équipés d'une carte Wifi peuvent y surfer librement.
- La Bibliothèque nationale du Québec et les bibliothèques municipales mettent des ordinateurs avec Internet à disposition des adhérents.

6. MUSIQUE ET FILMS

- Une fois de plus, nous vous recommandons La Bibliothèque nationale du Québec et les bibliothèques municipales dont la collection de CD, DVD et cassettes vidéo est empruntable.
- Visionner un film à la Bibliothèque nationale du Québec. Les adhérents peuvent réserver un poste de visionnement de DVD.
- Des projections de films ont lieu gratuitement, en été au Théâtre de verdure au parc Lafontaine. Il faut arriver très en avance pour avoir une place. Programme : (514) 872-2644.

Bibliothèque Nationale du Québec © Bernard Fougères

MONTRÉAL FOR FREE

Because we don't always want to pay for a night in a restaurant or for a movie ticket, here's a list of free activities in Montreal.

1. FREE ADMISSION TO MUSEUMS
+ Montreal Museum of Fine Arts. Free admission at all times to enjoy the treasures of the permanent collection. (However, donations are most welcome.)
+ Canadian Centre for Architecture. A beautiful building that houses exhibitions about unknown aspects of the city's architecture. Free admission Thursday 5:30pm-9pm.
+ Montreal Museum of Contemporary Arts. Free admission Wednesday 6pm-9pm.
+ Redpath Museum on the McGill campus. Dedicated to natural history, this museum houses many dinosaur skeletons and mummies. Free admission at all times.

2. SHOWS

+ Tohu, the circus arts complex, hosts a number of topnotch free shows (circus, music, etc.)
Visit: www.tohu.ca
+ In summer, the Theatre de Verdure (open-air theatre) in Lafontaine Park presents a number of dance and theatre performances and film screenings that draw the crowds.
For the programme: (514) 872-2644.
+ The maisons de la culture (houses of culture) in all the neighbourhoods regularly organize screenings, dance shows, etc.
Programme at :
www.ville.montreal.qc.ca/maisons
All four universities offer public film screenings, lectures, shows, etc.
You'll find all the information on their websites:
http://www.mcgill.ca/calendar/
http://www3.concordia.ca/events/
www.uqam.ca Then click on events.
www.umontreal.ca Then click on "Calendrier" in the "Actualités" box

The many Montreal festivals generally offer free shows, most notably the Montreal Highlights Festival in winter and the Jazz Festival in summer.

3. SPORTS

+ 50 indoor pools (free admission or else almost free), and many outdoor pools are open to swimmers.
See www.villemontreal.qc.ca
+ 6 huge nature parks are open to the public. You can spend the day, cross-country ski, cycle, swim, etc.
See www.villemontreal.qc.ca
+ Skating rinks. In winter, many skating rinks welcome hockey players and skaters for free. The two biggest rinks in Montreal are on Mount Royal and in Lafontaine Park.
See www.villemontreal.qc.ca for information on the condition of the rinks.
+ Bicycle paths. The Island of Montreal boasts about 350 km of paths reserved for bicycles.

4. LECTURE LIBRE/FREE READING

+ The National Library of Quebec provides a large selection of newspapers and magazines for browsing. The "Current" section is open every day 10am-midnight.
+ The National Library lends out books for 3 weeks. All you have to do is subscribe.
+ The network of 55 municipal libraries lends books out and magazines to read on-site at a location near you.To find out more:
www.ville.montreal.qc.ca/biblio
+ Metro, the daily filled with information of general interest (distributed in the Metro stations), and 24 heures (distributed near the stations) give you a good idea of current events.
+ The weeklies provide current events as well as the inside scope on what's happening around town (Voir, Ici, The Hour, The Mirror).

5. SURFING THE WEB

+ The Ile sans fils (Wireless Island) Network. Thanks to this association's counsel, a 100 cafés and restaurants are equipped with Wifi antennae. Those with laptops and a Wifi card can surf for free.
+ The National Library of Quebec and the municipal libraries provide computers with Internet for their subscribers.

6. MUSIC AND FILM

+ Once again, we recommend the National Library of Quebec and the municipal libraries which lend out their CD, DVD and video cassette collections.
+ You can watch films at the National Library of Quebec. Subscribers can reserve an on-site screening booth to watch a DVD.
+ Film screenings take place for free at the Theatre de Verdure in Lafontaine Park. Get there early to get a seat.
Programme: (514) 872-2644.

INDEX / INDEX

737 112
2 pierrots 58
Abri du voyageur 98

A

Académie des arts et du design / Academy of arts & design 36
Académie internationale Edith Serei/ Edith Serei international academy 33
ACDI 111
Afrique en mouvement/Africa in motion 20
Afs interculture canada 109
Agence Québec-Wallonie-Bruxelles pour la jeunesse 110
Aldo 47
Anse à l'orme 68
Aqoci 111
Arnold paint ball 73
Aseq : une assurance complémentaire/ Qsha: supplementary insurance 93
Association des Étudiants de l'Université McGill(AEUM)/Students' Society of McGill University (SSMU) 77
Association des sports pour aveugles de Montréal 109
Assurance maladie/Health insurance 92
Assurance médicament/ Prescription drug insurance 93
Ateliers de danse moderne/ Contemporary dance workshop 20
Au diable vert 55
Auberge alternative du Vieux Montréal/ Alternative hostel Old Montreal 97
Auberge de jeunesse de Montréal/ Montreal youth hostel 97
Auberge Maeva 98

B

Basha 39
Bedo 47
Belmont 55
Bibliothèque nationale du Québec 23
Bistro Olivieri 42
Blue dog lounge 56
Bois-de-l'île-Bizard 68
Boucherie de Paris 42
Bromont 70

C

Café Campus 55
Café Chaos 56
Cafe de la Pagode 37
Café Jeunesse 105, 110
Café l'Etranger 40
Café l'Utopik 51
Campus sportifs de Concordia / Concordia sports campus 91
Cap-Saint-Jacques 69
Carlos et Pepe 40
Carrefours emploi jeunesse 105
Casa 3 amigos 41
Casa del Popolo 44
Cégep à distance/Long distance cegep 18
Cégep André-Laurendeau 11
Cégep de Saint-Laurent 10
Cégep du Vieux Montréal 10
Cégep John Abbott college 10
Cégep Marie-Victorin 10
Cégep Vanier 10
Centraide du Grand Montréal 109
Centre d'action bénévole de Montréal/ Volunteer bureau of Montreal 109
Centre d'aide/Help centre 96
Centre d'exposition (UdeM)/ Exhibition space 79
Centre d'intervention et de recherche sur la violence/Centre for prevention and research on violence 96
Centre de design (UQAM)/Design centre 80
Centre de lecture rapide (CLR)/ Speed-reading centre 35
Centre d'essai et studio (UdeM) 79
Centre hospitalier de Saint Mary/ Saint-Mary's hospital 95
Centre national d'animation et de design (centre NAD)/National animation and design centre (NAD centre) 24
Centre sportif de l'UQAM 91
Cepsum (UdeM) 91
Chantiers jeunesse 111
Cheers 51
Choisir son universite/Choosing a university 13
Ciné-campus (UdeM) 79
Circuit 500 speed karting 74
Cirque du monde 111
CLSC des Faubourgs 96
CLSC Métro 96
Club Juice 60
Club La Boom 61
Coco Bongo 60
Collège Ahuntsic 10
Collège April-Fortier, l'école du voyage/ The travel school 32
Collège Bois-de-Boulogne 10
Collège CDI Delta/CDI college 24
Collège Dawson 10
Collège de l'immobilier du Québec/ Quebec real-estate college 35
Collège de Maisonneuve 10
Collège de Rosemont 10
Collège de secrétariat moderne (CSM)/ Modern secretarial college 35
Collège Frontière 109
Collège Gérald-Godin 11
Collège Inter-Dec/ Inter-Dec college 25
Collège Marsan/Marsan college 25
College O'Sullivan /O'Sullivan college 36
College Salette /Salette college 30
Collège Stanislas/Stanislas college 30
Commensal 37, 41, 42, 102
Conservatoire d'art dramatique du Québec/ Drama conservatory of Quebec 20
Conservatoire de musique du Québec à Montréal/Music conservatory of Quebec-Montreal 21
Conservatoire Lassalle/ Lassalle conservatory 23
Cyberjeunes international 112

D

Delais d'inscription/Delays 19
Département de la vie associative (UQAM)/ Association life department 80

Le pavillon Sciences de la gestion, UQAM

Descentes sur le Saint-Laurent/
Descending the Saint Lawrence 70
Dieu du ciel! 52
Différents quartiers de Montréal où il fait bon vivre/The Montreal neighbourhoods where you want to live 101
Drogue, aide et référence/
Drugs: help and referral 96

E

East india company 43
Ecole de commerce John Molson/
John Molson school of business 14
École de radio et télévision Promédia/
Promedia school of radio and television 28
École de technologie supérieure/
School of advanced technology 18
École des sciences de la gestion (ESG UQAM)/
School of management 14
École du show business/
School of show business 29
École nationale d'administration publique (ENAP)/School of public administration 19
École nationale de cirque/
National circus school 22
École nationale de l'humour/
National school of comedy 22
École nationale du meuble /
National school of furniture & carpentry 35
École nationale du théâtre au Canada/
National school of comedy 22
École Polytechnique/Polytechnical school 17
École supérieure de ballet contemporain/
School of contemporary ballet 21
Electric avenue 60
Entretiens (cafe les) 45
Epicerie segal 50
Eva B 49

F

Faculté de management Desautels/
Desautels faculty of management 16
Faculté de musique de McGill/
McGill faculty of music 77
Foufounes électriques 57
Fripe prix renaissance 49
Futon d'Or 50

G

Galerie d'art (UQAM)/Art gallery 80
Galerie d'art Leonard et Bina Ellen 76
Gap 47
Gogo lounge 57
Grande gueule 52
Grossesse secours 95
Guide du réemploi/Guide to reuse 49

H

HEC Montréal 16
Hemisphère gauche 57
Hôpital général Juif/Jewish general hospital 95
Hôpital Notre-Dame /Notre-Dame hospital 95
Hôpital Royal Victoria /Royal Victoria hospital 95
Hôpital Saint-Luc /Saint-Luc hospital 95
Hôtel de la Montagne 90
Hötel Dynastie 98
Hötel le Roberval 98
Hôtel-Dieu 95

I

Iles de Boucherville 66
Ingénieurs sans frontières 112
Institut de création et de recherche en infographie (ICARI)/Institute of computer graphics creation and research 25
Institut de réadaptation de Montréal 109
Institut de tourisme et d'hôtellerie du Québec (ITHQ)/Quebec institute of tourism and hostelry 33
Institut Grasset/Grasset institute 28
Institut Kiné-concept/Kiné-concept institute 33
Institut national de l'image et du son (INIS)/
National institute of image and sound 27
Institut supérieur d'informatique/
School of computer science 26
Institut Teccart/Teccart institute 26
Institut technique Aviron 35
Institut Trébas/Trebas institute 29

J

Jello bar 57
Jeunes musiciens du monde 112
Jeunesse canada au travail - patrimoine canadien et parcs canada 110
Jeunesse j'écoute 95

L

Laser quest 75
Laserdôme 75
Living 60
Loft 61
Lola rosa 39

M

Maisonnée 52
Marché lobo 50
Marchés publics/Markets 49
Marie-de-France/Marie-de-France international college 30
Massif 71
Mondo fritz 45
Mont Sainte Anne 71
Mont Tremblant 71
Musée d'art contemporain/
Montreal museum of contemporary art 82
Musée des beaux-arts de Montréal/
Montreal museum of fine art 81
Musée Redpath/Redpath museum 78
Musitechnic 30

N

Numéro d'assurance sociale/
Social insurance number 116

O

Œufs spectaculaires/Spectacular eggs 85
Office franco-québécois pour la jeunesse 111
Office Québec-Amériques pour la jeunesse 111
Opera de Montréal 71
Ordre des infirmières et infirmiers du québec/
Quebec order of nurses 32
Oscar Peterson concert hall 76

P

Paint ball Mirabel 74
Parc de la Rivière-des-Mille-îles/
Des-Mille-îles river park 69
Parc Jean-Drapeau/Jean-Drapeau park 69
Peel pub 41
Permis d'étude pour étudiants étrangers/
Studying permit for foreign students 113
Pho lien 42
Pizzafiore 43
Plage d'Oka 69

Poires au sirop d'erable/
Pears with maple sirup 85
Pub quartier latin 58

R

Réservoir, brasserie artisanale 53
Résidence Labelle 100
Résidences de Concordia 100
Résidences de l'Université de Montréal 100
Résidences de l'UQAM 100
Résidences de McGill 100
Resto pub Saint Sulpice 38
Réussir sa location/Successful rental 101

S

Saint Sauveur 71
Sainte-Elisabeth 58
Saint-Sulpice 59
Salle Claude Champagne 79
Saute-moutons/Jet boating Montréal 69
Service de placement d'emploi Québec/
Emploi Québec placement service 105
Service des activités culturelles (UdeM)/
Cultural activities centre 78
Service des sports de l'université McGill/
McGill sports service 92
Société Saint-Vincent de Paul 109
Soupes et nouilles 41
Stress et examens/Stress ans exams 89
Suicide écoute 95
Swap 68

T

Tarte aux courgettes/Zucchini tomato pie 85
Téléphone en cas d'urgence/Emergency number 96
Thé maté 38
Théâtre UQAM/UQAM theatre 80
Tokyo 62
Toronto & Niagara 65
Tourisme jeunesse 67

U

Université Concordia - bureau des étudiants/
Concordia university student services 76
Universite Concordia/
Concordia university 11
Université de Montréal/
University of Montreal 12
Universite de Sherbrooke/
Sherbrooke University 14
Universite du Quebec à Montréal 13
Université McGill/McGill University 11
Upper club 61
Urban outfitters 47
Utopik 38, 98

V

Vivres (aux) 45
Voyages Campus 66

W

Week-end à Mont Tremblant 64
Week-end à Ottawa 65
Week-end à Québec 63

Y

Yuan 38

Z

Zaz bar 59

L'édifice Aldred et la rue Notre-Dame © Ville de Montréal

Détroit d'Hudson
Baie d'Ungava
Mer du Labrador
Baie James
Fleuve Saint-Laurent
Golfe du Saint-Laurent

POUR COMMANDER
TO ORDER

petit futé

On a tous besoin d'un plus ***Petit Futé*** *que soi ... | Everybody needs a* ***Petit Futé*** *...*

---

tel. (514) 279-3015 **fax** (514) 279-1143 **web** www.petitfute.ca **email** redaction@petitfute.ca

Les Éditions Néopol, Inc.

43, av. Joyce, Montréal (Québec) H2V 1S7

Nom : . . . . *Prénom :* . . . .

Adresse : . . . .

Code postal : . . . . *Ville :* . . . .

Province : . . . . *Tél. :* . . . .

Courriel : . . . .

Ville de Montréal :	_____ X 15$
Guide des adresse érotiques :	_____ X 12$
Ville de Québec :	_____ X 12$
Saveurs du Monde à Montréal World Flavours :	_____ X 12$
Bio, Nature et Équitable :	_____ X 13$
Total :	_____ $

(Frais de port et taxes inclus - Merci de faire votre chèque à l'ordre des ***Éditions Néopol Inc.****)*